# EMPREENDEDORES INTELIGENTES ENRIQUECEM MAIS

# GUSTAVO CERBASI

# EMPREENDEDORES INTELIGENTES ENRIQUECEM MAIS

*A meus alunos e clientes, que me ensinaram a descobrir novas visões de ferramentas clássicas enquanto eu os orientava. O conhecimento se transforma com a prática, e isso ficou provado no grande laboratório que foram minhas salas de aula e sessões de consultoria.*

❖ ❖ ❖

Copyright © 2016 por Gustavo Cerbasi

Todos os direitos reservados. Nenhuma parte deste livro pode ser utilizada ou reproduzida sob quaisquer meios existentes sem autorização por escrito dos editores.

*edição*
Alessandra J. Gelman Ruiz

*revisão*
José Grillo e Luis Américo Costa

*projeto gráfico e diagramação*
DTPhoenix Editorial

*capa*
Duat Design

*impressão e acabamento*
Bartira Gráfica e Editora Ltda.

CIP-BRASIL. CATALOGAÇÃO NA PUBLICAÇÃO
SINDICATO NACIONAL DOS EDITORES DE LIVROS, RJ

C391e   Cerbasi, Gustavo
      Empreendedores inteligentes enriquecem mais / Gustavo Cerbasi.
  Rio de Janeiro: Sextante, 2016.
  208 p.: il.; 16 x 23 cm.
  ISBN 978-85-431-0412-6
      1. Empreendedorismo. 2. Finanças. I. Título.

16-35683                                                 CDD: 658.4012
                                                                      CDU: 65.012.2

Todos os direitos reservados, no Brasil, por
GMT Editores Ltda.
Rua Voluntários da Pátria, 45 – 14.º andar – Botafogo
22270-000 – Rio de Janeiro – RJ
Tel.: (21) 2538-4100
E-mail: atendimento@sextante.com.br
www.sextante.com.br

# Sumário

Introdução 9
    Motivos *tradicionais* para entender mais sobre finanças nos negócios 9
    1) Você já tem um negócio 9
    2) Você está pensando em empreender 10
    Motivo *não tradicional* para entender mais sobre finanças nos empreendimentos 11
    3) Empreender é uma maneira de investir 11
    Etapas da geração de riqueza na vida 12

1. Empresas são investimentos 17
    Empreender é um investimento de alto risco 18
    Se o risco é alto, qual é a vantagem de empreender? 20
    Motivos para empreender 22
    Complexidade, risco e rentabilidade de tipos de negócio 25
    O custo de oportunidade 28
    A importância da inteligência financeira nos empreendimentos 29

2. Qual é o plano? 32
    A importância do planejamento 33
    Plano de Negócios ou *Business Plan* 37
    Respostas que você precisa ter sobre seu negócio 39
    Orçamento: antecipando problemas e conquistas 40
    Planejar é vital 41

3. Produto bom, negócio ruim 42
    Negócios que não prosperam 43
    1) Negócios que não dão lucro mas não possuem problemas financeiros 43
    2) Negócios que não dão lucro porque possuem problemas financeiros 43

| | |
|---|---:|
| Os três grandes erros financeiros nas empresas | 44 |
| Erro 1 - Não planejar entradas, saídas e o destino do lucro | 45 |
| Erro 2 - Superdimensionar a estrutura do negócio | 46 |
| Erro 3 - Fazer empréstimos em vez de financiamentos | 47 |
| | |
| **4. A empresa do ponto de vista financeiro** | **51** |
| O contador | 53 |
| Interpretando a empresa por meio dos números | 53 |
| As Receitas, as Despesas e o Lucro | 55 |
| Empresa saudável | 56 |
| Lucro não é a parte do dono | 57 |
| O balanço patrimonial | 59 |
| Construindo um balanço patrimonial simplificado | 62 |
| Ativo Circulante e Ativo Permanente | 64 |
| | |
| **5. O lucro do negócio** | **68** |
| Demonstração do Resultado do Exercício (DRE) | 68 |
| A Receita de Vendas | 70 |
| O Custo | 70 |
| As Despesas Operacionais | 75 |
| Receitas e Despesas Financeiras | 77 |
| Resultado Não Operacional | 77 |
| Lucro Antes dos Impostos (LAIR) | 78 |
| Lucro Líquido | 78 |
| Uma DRE Completa | 79 |
| O conceito de LAJIR, uma abordagem gerencial | 79 |
| Técnicas de apuração do resultado da empresa | 82 |
| Regime de Competência e gestão da empresa | 83 |
| Fato gerador | 83 |
| Fluxo de Caixa, o ar que as empresas respiram | 84 |
| Como obter as respostas | 85 |
| | |
| **6. Fazendo a roda girar** | **87** |
| Capital de Giro e Ativo Circulante | 87 |
| O investimento em Capital de Giro | 89 |
| Capital Circulante Líquido (CCL) | 90 |
| O Ciclo Operacional e o Ciclo de Caixa | 94 |

| | |
|---|---|
| Vendas em alta e caixa em falta? | 108 |
| Seletividade: por que desistir de alguns clientes | 114 |

**7. Ponto de Equilíbrio da empresa** — 116
    Análise Custo-Volume-Lucro — 116
    1) Separação entre Custos e Despesas fixos e variáveis — 116
    2) Quantificação do *Ponto de Equilíbrio* (*breakeven point*) da empresa — 121
    3) Identificação do grau de alavancagem a que a empresa está exposta — 130

**8. A arte de ler números** — 131
    A melhor empresa para iniciar um negócio — 131
    Dívidas desejáveis e indesejáveis — 135
    Dívidas caras e baratas — 136
    Análise de Demonstrações Financeiras — 138
    Leitura Relativa dos Demonstrativos — 138
    Decomposição dos Demonstrativos ou Análise Vertical — 140
    Tendência Histórica ou Análise Horizontal — 141
    O que os indicadores contam sobre a saúde da empresa — 143
    Os principais indicadores financeiros — 145
    1) Índices de Rentabilidade — 145
    2) Índices de Atividade — 153
    3) Índices de Liquidez — 158
    4) Índices de Endividamento — 162

**9. Vale a pena? A viabilidade dos empreendimentos** — 166
    Decisões em cima de números — 166
    1) O método do Período de *Payback* — 168
    2) O método do Valor Presente Líquido (VPL) — 170
    3) O método da Taxa Interna de Retorno (TIR) — 177

**10. Prejuízo e dívidas: Os cinco passos para virar a mesa** — 180
    1) Enfrente os problemas — 180
    2) Contrate um bom advogado — 181
    3) Diferencie seus credores — 181

4) Estabeleça um corte radical de gastos 181
5) Desista dos piores clientes 182

11. As cinco competências financeiras essenciais 183
    Competência nº 1: Possuir números confiáveis 183
    Competência nº 2: Trabalhar com um orçamento claro 184
    Competência nº 3: Fazer um controle da evolução dos resultados 185
    Competência nº 4: Valorizar os números nas decisões 185
    Competência nº 5: Contar com pessoas de confiança e capazes 186

12. Separando a pessoa física da pessoa jurídica 188
    1) Estratégias para o Negócio 189
    2) Planejamento Financeiro do Negócio 189
    3) Estratégia Pessoal/Familiar 190
    4) Planejamento Financeiro Pessoal/Familiar 190

Conclusão 193

Anexo: Um mapa da saúde financeira da sua empresa 195
    1) Elaboração de demonstrações financeiras gerenciais 195
    2) Interpretação dos relatórios 198
    3) Cálculo do mapa de indicadores 199
    4) Interpretação dos indicadores 199

Agradecimentos 201

# Introdução

Empreender é uma palavra que remete a muitos sonhos: abrir um negócio próprio, não ter chefe, trabalhar com o que gosta, pôr em prática uma ideia criativa, aproveitar horários flexíveis, ter liberdade e independência, desbravar mercados, ganhar muito mais do que quando era funcionário...

Porém – e sempre existe um porém! –, até que esse sonho se torne uma realidade palpável (e não se transforme em um pesadelo), é preciso muito trabalho, dedicação, tempo, energia e investimento. Acima de tudo, é necessário entender bem o seu negócio e a sua área de atuação, mas também é preciso entender de um assunto muitas vezes evitado: finanças.

Não estou dizendo que você precisa se transformar em um especialista na área financeira, principalmente se não há condições de cuidar diretamente do dia a dia dessa função na empresa. Mas, como empreendedor, você precisa saber os conceitos gerais de finanças, conhecer seu funcionamento básico e vigiar constantemente os indicadores que vão mostrar se está havendo ou não lucro. Só assim poderá ter consciência de como anda seu negócio, ganhar dinheiro com ele e descobrir onde estão as fragilidades que podem fazer você perder seu capital.

Existem alguns fortes motivos para um empreendedor conhecer mais sobre finanças, ou melhor, para desenvolver sua *inteligência financeira* nos negócios. Listarei aqui três deles, sendo dois tradicionais e um não tradicional:

## Motivos *tradicionais* para entender mais sobre finanças nos negócios

### 1) Você já tem um negócio

Para quem já empreende, é comum que a gestão das finanças não seja feita diretamente pelo empreendedor, que em geral está lidando mais com o assunto principal do negócio, seja ele um produto ou um serviço. Via de regra, ou a rotina contábil é feita por uma terceira pessoa e a análise geral da saúde financeira não acontece, ou então tudo é feito de modo breve e superficial, sem grande atenção para pontos que podem ser vitais para a empresa.

Curiosamente, mesmo as empresas mais bem resolvidas estrategicamente costumam falhar ou mostrar fragilidades justamente nas finanças, e é nesse aspecto que a maioria dos negócios que naufragam tem mais problemas. A autoconfiança do empreendedor o inebria e tende a levá-lo a focar suas energias muito mais nos aspectos visíveis do negócio – as vendas, a comunicação, o marketing, o serviço – e deixar a organização financeira em segundo plano. E é a partir desse ponto que negócios sensacionais geralmente desmoronam.

Por tudo isso, desenvolver a inteligência financeira é fundamental e oportuno tanto para os pequenos quanto para os grandes negócios, novos ou consolidados, simples ou complexos. Com ela, o empreendedor se manterá ciente de estar sempre seguindo no caminho das escolhas rentáveis, que garantirão o crescimento de seu grande investimento.

Este livro se propõe oferecer os conhecimentos necessários para que os empreendedores conheçam todos os aspectos fundamentais para lidar com as finanças de seus negócios, de modo que sejam bem-sucedidos em seus propósitos e consigam ter lucro, crescer, prosperar e perpetuar-se.

## 2) Você está pensando em empreender

Para quem está querendo montar o próprio negócio, algo curioso acontece em relação às finanças. Quem empreende ou quem tem o desejo de empreender em geral baseia seu negócio em uma ideia – inovadora ou não, criada ou não por ele próprio –, que vai se traduzir em um produto ou em um serviço, que consiste no próprio coração da nova empresa.

Dessa maneira, em geral é difícil que o empreendedor entenda previamente de finanças ou seja especialista nisso. Assim, ele não foca primariamente no desenvolvimento dessa área de maneira a obter o melhor dela. E, como o negócio é inicial ou pequeno, o empreendedor não tem ainda condições de contratar especialistas ou gestores financeiros para cuidar de um departamento dedicado, e por isso tenta resolvê-la ou com seus conhecimentos básicos ou com os de alguém que possa ajudá-lo, o que acontece em muitos casos até informalmente. Isso faz com que o empresário fique "no escuro", pois, enquanto trata apenas de seu produto ou serviço, a verdadeira gestão do negócio não fica plenamente em suas mãos.

Outra falha frequente é iniciar uma nova empresa sem um plano de negócios, o famoso *business plan*, que considera fortemente o aspecto financeiro, levando em conta conceitos como investimento, retorno, lucro, ponto de equilíbrio, etc. Mais uma vez, o empreendedor, apaixonado pelo sonho ou pela ideia que o levou a iniciar o negócio, não tem total entendimento e conhecimentos para saber lidar com os aspectos financeiros que podem fazer uma empresa vingar ou falir.

Neste livro, reuni as informações fundamentais que ajudarão os futuros empreendedores e todas as pessoas que sonham em iniciar um dia seu próprio negócio a ter consciência e domínio das ferramentas financeiras para serem bem-sucedidos em suas empreitadas.

## Motivo *não tradicional* para entender mais sobre finanças nos empreendimentos

### 3) Empreender é uma maneira de investir

Os motivos tradicionais para aprender mais sobre finanças nos negócios são lógicos e claros: é preciso conhecer algo de finanças para ficar ciente da saúde de sua empresa e no seu total controle, qualquer que seja seu ramo. Em teoria, isso parece até óbvio, apesar de a prática nem sempre ser bem-sucedida.

Ainda de acordo com as práticas tradicionais, o mundo profissional e a trajetória para se conseguir renda com uma profissão sempre foram mais ou menos os seguintes:

- A pessoa dedica-se a anos de estudos, concluindo o ensino fundamental e o médio.
- Em seguida, o jovem faz de tudo para ingressar no ensino superior, pago ou gratuito (público), para se capacitar para uma profissão, até se formar.
- Com o diploma em mãos, já capacitado, o formado vai para o mercado de trabalho e começa a ter renda.
- Visando ter essa renda sempre crescente e melhorar seu padrão de vida, esse trabalhador tenta progredir na carreira, inclusive fazendo cursos e aperfeiçoamentos, para conseguir posições melhores e mais bem remuneradas.
- Depois de trabalhar durante algumas décadas de sua vida, a pessoa aposenta-se e espera ser sustentada pelos frutos dos esforços de pou-

pança feitos ao longo da carreira, sejam eles por meio de uma previdência pública ou privada.

Parece simples? Só que *não* é. Aliás, não é nem mais viável seguir essa estratégia nos dias de hoje.

O que se constata atualmente é que as expectativas de consumo e de qualidade de vida, somadas ao custo de se viver nas cidades próximas às oportunidades de emprego, têm impedido as pessoas, ou melhor, as famílias, de poupar o necessário para sustentar suas escolhas após o fim de suas carreiras profissionais.

As relações de trabalho têm sido cada vez menos duradouras e mais flexíveis. As carreiras, quando existem, encerram-se cada vez mais cedo. Além disso, por todos os avanços da ciência e pelos recursos da medicina, as pessoas estão vivendo cada vez mais, morrendo com mais idade. Como consequência, o velho modelo de estudar para trabalhar e depois poupar para se aposentar não funciona mais como antes. Ou funciona apenas parcialmente e se mostra insuficiente.

O que fazer então?

Proponho um novo modelo de planejamento financeiro de vida, que envolve entender o trabalho como apenas a primeira etapa da construção de seu patrimônio e de sua independência financeira, e assumir que empreender um negócio próprio é mais que uma oportunidade. É uma questão de sobrevivência. E é uma maneira de investir seu capital. Discuti isso em meu livro *Adeus, aposentadoria* (Sextante, 2014), mas explicarei aqui mais detalhadamente essa segunda etapa, desenvolvendo o ponto de vista do empreendedorismo.

## Etapas da geração de riqueza na vida

Sempre defendi que estudar e educar-se é algo que deve acontecer ao longo da vida inteira das pessoas, e não apenas enquanto são jovens. Educar-se é preparar-se, e é preciso se educar para aprender a gerar riquezas durante toda sua vida. Por isso, eu defendo que precisamos adotar um novo padrão de educação e estudos, que deve evoluir em três etapas:

**Etapa I – Educar-se para o trabalho:** Essa é a etapa da escola, do ensino fundamental, do ensino médio e do ensino superior tradicionais, dos cursos técnicos, das pós-graduações, das especializações, dos cursos de idiomas, etc.

Com o que é aprendido aqui forma-se o que colocamos em nosso currículo, que nos capacita para o mercado de trabalho e para exercer uma profissão, com a qual desenvolvemos uma carreira, que nos proverá de ganhos desejavelmente crescentes. Em geral, durante a maior parte do tempo dessa etapa da educação ainda dependemos financeiramente de alguém, seja dos familiares seja de pessoas que possam prover nosso sustento enquanto não temos renda própria.

Começamos então a trabalhar e trocamos nosso trabalho pela renda originada do capital de alguém, a quem ajudamos a enriquecer. Perceba: no modelo econômico capitalista em que vivemos, quem possui capital (ou crédito para contar com o capital dos outros) coloca esse capital para trabalhar na forma de um ou mais empreendimentos e convida quem não possui capital (o trabalhador) para que este o ajude a multiplicar suas riquezas. O papel do trabalhador, nesse modelo, é usar seu conhecimento, sua experiência, seus relacionamentos e seu suor para construir riqueza, só que não riqueza para si, e sim riqueza para quem lhe oferece a oportunidade de trabalho. Em troca, recebe um pagamento pelo valor que agrega ao negócio.

Os trabalhadores que percebem esse jogo focam suas ações em reduzir custos, captar clientes, aumentar a produtividade e, por se destacarem naquele objetivo para o qual foram contratados, crescem mais rapidamente na carreira. Os que fazem o mínimo possível para ganhar o máximo possível, por outro lado, não conseguem se destacar de seus pares e tendem a estacionar na carreira. O modelo capitalista mostra-se eficiente quando mesmo aqueles que não têm capital percebem a tempo as regras do jogo – normalmente por intermédio da educação – e optam por reservar para o futuro parte dos ganhos obtidos com o trabalho. Ao combinar hábitos de poupança com uma *estratégia* empreendedora, chegará o dia em que suas reservas se transformarão em capital para iniciar a própria *atividade* empreendedora.

**Etapa II – Educar-se para empreender:** Quando a carreira entra em uma espécie de velocidade de cruzeiro, ou seja, quando os frutos de nossa educação parecem se multiplicar de maneira mais farta, podemos colhê-los para começarmos a plantar em outra seara. No modelo tradicional, era nesse ponto que as pessoas já se preparavam para se aposentar. Mas, no novo modelo, agora é que o jogo começa a ficar divertido. Essa é a fase da carreira em que a situação fica sob controle, as propostas de emprego começam a ser mais frequentes, você não precisa mais torcer para ser aceito, mas as empresas é que torcem para você aceitar seus convites. Sua reputação está criada, sua empregabilidade está forte e seu foco está mais no equilíbrio de sua agenda e na sua qualidade de vida. Ainda é preciso se atualizar e renovar conhecimentos, mas entre essas atividades é necessário que você encontre tempo para aprender sobre empreendedorismo, que pode ser encarado, além de tudo, como mais uma maneira de multiplicar o capital, ou seja, o patrimônio, que você conseguiu até então acumular ou poupar. Empreender também é, portanto, uma forma de investir.

Quando você começa a empreender, ou seja, quando inicia um negócio próprio, você passa para o lado mais interessante das relações de capital. Ao empreender, o trabalhador passa a construir a própria riqueza, passa a trabalhar diretamente por ela, criando oportunidades de emprego para que outras pessoas sem capital possam prosperar enquanto contribuem para multiplicar sua riqueza que agora se transformou em negócio.

Essa é uma reflexão rica que raras vezes é percebida como o verdadeiro motivo para se montar um negócio. Mesmo que intuitivamente, todo empreendedor está em busca de se livrar de uma relação de trabalho em que a maior parte de sua energia e de seu tempo transforma-se em riqueza para terceiros.

Esse raciocínio não diminui a nobreza do trabalho, pois o emprego é o caminho natural para evoluir do lado trabalho para o lado capital das relações capitalistas. E o lado de ter o próprio capital remunerado é, como eu disse, o mais interessante desse jogo. Como a maioria das pessoas em qualquer lugar do mundo não nasce com o privilégio de contar com fartas reservas financeiras à sua disposição, é natural que a educação inicial seja sempre focada em preparar as pessoas para o trabalho ou emprego.

Uma sociedade bem educada é aquela que prepara seus futuros profissionais para serem competitivos e competentes no trabalho, mas deveria ser também aquela que conscientiza seus cidadãos da necessidade de se preparar para serem autossuficientes quando suas oportunidades de trabalho se esgotarem. Mesmo quem não se considera com perfil empreendedor terá melhores condições de vida se estiver preparado para colocar suas reservas financeiras (seu capital) para trabalhar na forma de investimentos.

**Etapa III - Educar-se para investir:** Chega um ponto em que o conhecimento sobre empreendedorismo, sobre seu negócio, por conhecimentos adquiridos na teoria ou na prática, no dia a dia, já é grande e diferenciado.

Você tem experiência e colhe os frutos. Essa é a hora de aprender mais sobre investimentos. Não que você não tenha de ter estudado sobre investimentos até aqui, mas precisa conhecer bastante para que seus negócios funcionem independentemente de sua capacidade de se envolver com eles. Para isso, você pode administrar os frutos de seu legado e poderá aproximar-se do antigo conceito de aposentadoria, com mais tempo livre para fazer o que quiser, inclusive divertir-se com a rotina do trabalho.

As etapas da estratégia da construção de riqueza ao longo da vida como proponho devem ser:

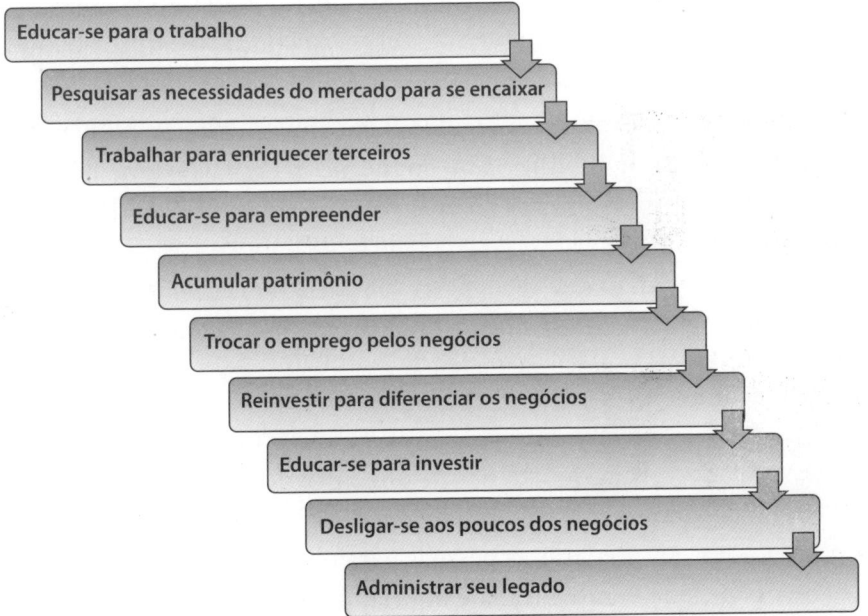

Quem, portanto, assume a responsabilidade de iniciar uma atividade empreendedora, seja ela um pequeno comércio eletrônico, vendas por catálogo, marketing multinível, franquia ou um negócio mais complexo, está iniciando muito mais que apenas uma maneira de ganhar dinheiro. Com a devida consciência financeira de sua atividade empreendedora, um negócio próprio é a mais importante e a mais complexa decisão de investimento a ser tomada na vida. Seu dinheiro poderia se multiplicar no banco, mas o empreendedor opta por somar o suor do seu rosto ao patrimônio e fazê-lo se multiplicar mais.

Uma atividade empreendedora é também uma oportunidade de garantir a independência financeira, pois, administrando-a com a consciência voltada para resultados, ela pode se tornar uma fonte segura de renda crescente, o que hoje é mais que desejável. E, a não ser que você tenha planos para privar-se de suas escolhas no futuro, ter rendimentos sempre crescentes ao longo da vida é uma necessidade básica.

Por todo o exposto, este livro é destinado a todos os que buscam entender a essência das finanças nos negócios, seja o leitor alguém que se prepara para entrar no mercado de trabalho e um dia pretende empreender, seja um profissional que atua em uma empresa de micro, pequeno ou médio porte.

Logicamente, o livro é destinado principalmente a quem enxerga no empreendedorismo de qualquer ramo de atuação – de dono de uma grande fábrica a camelô, de trabalhador em vendas diretas ou franquias a empreendedor de startups, e até o empresário de negócios complexos com funcionários ou mesmo aqueles que mergulham em empreitadas individuais como vendas no marketing multinível ou em negócios digitais – uma maneira de fazer um grande investimento na própria vida, até a etapa de deixar um legado e colher todos os frutos possíveis de seu plantio.

A todos esses, digo que esta leitura faz parte do caminho mais seguro e pavimentado para se desenvolver a inteligência financeira, e com ela conseguir a tão sonhada independência financeira.

# 1
# Empresas são investimentos

Toda empresa nasce – ou deveria nascer – com o objetivo de aumentar o valor do capital de seu proprietário. Aumentar o valor do capital de alguém colocando esse dinheiro em algum mecanismo que o multiplique de determinada maneira (neste caso, gerando valor na forma de produtos ou serviços) é uma forma de investir.

Quando não há um capital significativo ou quando se empreende por necessidade – após perder um emprego, por exemplo –, pode-se aceitar provisoriamente que o negócio seja apenas uma fonte de renda. Mas é um erro entendê-lo dessa maneira, pois essa renda pode desaparecer repentinamente se não for dada a ela uma condição sustentável de crescimento. Mesmo quando se empreende por necessidade, planos devem ser feitos para garantir que haja desenvolvimentos contínuos na empresa, cujos objetivos devem ser aumentar o patrimônio do empreendedor, garantir o crescimento de sua renda ao longo do tempo e fortalecer a empresa contra as ameaças de concorrentes.

Por exemplo, se você como empreendedor não investir em seu negócio, estará abrindo espaço para um concorrente ocupar seu espaço com um serviço ou um produto melhores, inviabilizando a sobrevivência da empresa que você tem. De maneira objetiva, portanto, pode-se definir que:

*O objetivo de toda empresa é deixar seus proprietários mais ricos, de forma sustentável.*

Por sustentabilidade não me refiro a preservar a natureza ou o ambiente. A sustentabilidade nesse contexto significa que a empresa deve ser capaz de produzir riqueza para seus donos de maneira continuada, recorrente.

Portanto, entender a atividade do empreendedorismo como um investimento do seu capital, com o intuito de aumentá-lo, é uma maneira muito favorável de agir, de tomar decisões dentro de uma empresa, e um motivo muito forte para dominar cada vez mais as ferramentas financeiras. É preciso estar ciente de que, como todo tipo de investimento, empreender traz riscos, e o segredo do sucesso está em controlá-los.

### Empreender é um investimento de alto risco

Em economia, uma regra básica para se entender o funcionamento dos mercados de investimentos é a que diz que *quanto maior for o retorno pretendido, maior será o risco assumido*. Essa regra, apesar de consistente, deve ser adotada com cautela, já que esse retorno poderá se materializar ou não.

Realmente, quando partimos da ideia de que em qualquer país há investimentos financeiros praticamente sem risco – chamados de risco zero – e que qualquer pessoa pode acessar esses investimentos, temos uma oportunidade em mãos: a de obter ganhos sem depender de nenhum esforço, a não ser o de direcionar nosso dinheiro para esses investimentos. Se nenhum esforço ou habilidade são necessários, fazer um ou outro tipo de investimento só valerá a pena se for para obter alguma vantagem – no caso, algum ganho a mais.

No Brasil, o melhor investimento sem risco à disposição dos investidores são os Títulos Públicos, que, em média, historicamente rendem cerca de 3% a 3,5% ao ano acima da inflação, já descontando custos e impostos. Se qualquer cidadão pode ter acesso a títulos públicos e obter esses ganhos, ninguém deveria preferir outro investimento que ofereça menos retorno, como a Poupança, que raramente provê algum ganho acima da inflação. Quando se opta por esse tipo de investimento, é puramente por falta de conhecimento financeiro, e não de oportunidade.

Para conseguir ganhos acima daqueles oferecidos pelos Títulos Públicos, investidores podem optar por investimentos de maior risco, que contêm ingredientes de incerteza que, quando acertadamente reunidos, proporcionam ganhos acima daqueles oferecidos pela opção sem risco. O desafio, nesse caso, está em saber fazer as escolhas que conduzam aos ganhos diferenciados. Afinal, quando alguém ganha ao assumir riscos, é porque outros perderam ao assumir os mesmos tipos de riscos, mas com escolhas erradas.

Quanto *menor* a certeza de ganhos, maior é o grau de *especulação* ou *aposta* envolvido em uma escolha de investimento. Por isso, os investimentos financeiros mais complexos, como as ações, as *commodities* e os imóveis, são considerados os de maior risco e, por isso, tendem a oferecer ganhos maiores a quem sabe identificar a hora certa de investir mais neles.

Pela complexidade típica de qualquer atividade empreendedora que se inicia, negócios são considerados investimentos com *nível de risco mais elevado do que a maioria dos investimentos financeiros*. Afinal, por maior que seja o risco de investir em ações, por exemplo, é possível diluir esse risco comprando ações de diversas empresas diferentes, ou mesmo de um fundo de ações que se encarregue de diluir o elevado risco entre diversas companhias. Com isso, por pior que se encontre o mercado de ações, é pouco provável que alguém consiga perder todo o seu patrimônio ao investir nele.

**FIGURA 1** Risco e retorno dos diversos tipos de investimento

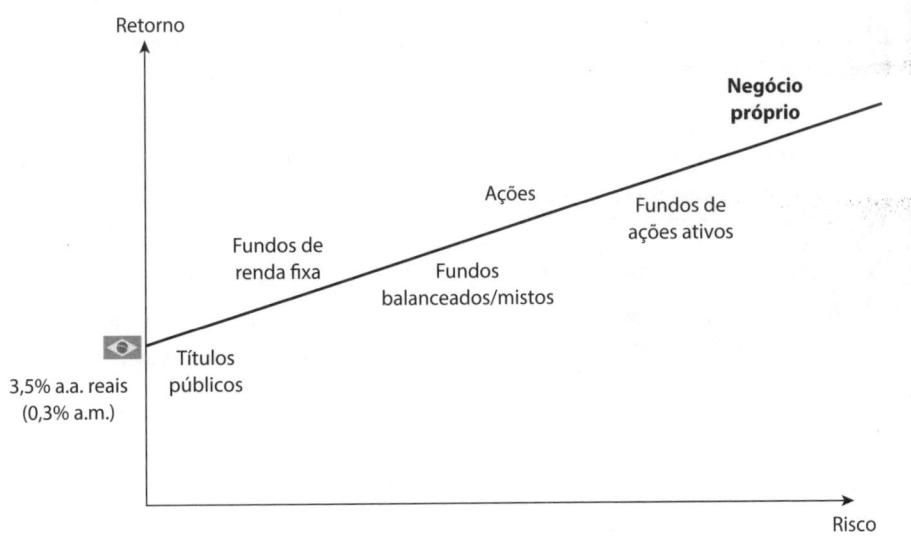

Quando se investe em uma empresa, porém, diversos fatores de risco podem resultar na perda de todo o patrimônio do empreendedor, pois as variáveis são inúmeras. Além disso, reforço o alerta: é preciso considerar que nem todo risco assumido pode trazer recompensas. Como empreendedor ou gestor de uma empresa, é preciso ser capaz de mapear quais são esses riscos aos quais você e o negócio estarão expostos. Uma vez ciente deles, considere se seus clientes estarão dispostos a recompensá-lo por riscos que podem ser evitados. Em outras palavras, e usando um jargão mais técnico, o prêmio pelo risco surge apenas para riscos que não podem ser evitados.

Por exemplo: imagine que eu planeje abrir uma pizzaria e não tenha todo o conhecimento para tal. De forma a tentar remunerar (compensar) o risco pela falta de conhecimento ou planejamento, pretendo cobrar um preço por pizza 20% maior que o da concorrência. Eis o raciocínio do empreendedor: "Vou cobrar um pouco mais caro, de maneira a compensar o risco de entrar em um negócio em que eu não domino as variáveis envolvidas."

Mas será que o mercado está disposto a pagar 20% a mais por um produto oferecido por milhares de concorrentes que propõem uma qualidade similar? Claro que não. Note que o risco introduzido pela falta de conhecimento e planejamento pode ser perfeitamente evitado, redundando no seguinte: *o empreendedor não será remunerado por riscos que correu desnecessariamente.*

Por outro lado, se na nova pizzaria eu propuser um conceito novo, fizer as pizzas com ingredientes exclusivos e adotar um sistema inovador de entregas controlado por aplicativo no telefone móvel, pode ser que o mercado aceite pagar a mais pela conveniência, pela inovação ou pela sofisticação. Se serei ou não remunerado por isso, só o tempo irá dizer. Daí vem o conceito de risco, o grande desafio do empreendedor.

## Se o risco é alto, qual é a vantagem de empreender?

Diante do elevado risco envolvido com a criação de um negócio próprio, muitos se questionam se não seria melhor investir em ações, já que o risco é mais baixo e o mercado traz muitas oportunidades de ganhos.

A resposta a essa pergunta, para a maioria das pessoas, é: provavelmente não! Empreender é justamente assumir riscos. E isso significa, na maioria das vezes, assumir riscos sensivelmente maiores que alternativas de investimento padronizadas, como os produtos financeiros. Não devemos evitar os riscos, mas saber lidar com eles.

*Riscos não devem ser evitados, mas sim administrados.*

Portanto, investir em negócios, ou seja, empreender, não é algo que deva ser evitado, muito pelo contrário! O fundamental é adquirir os conhecimentos necessários para minimizar os riscos e maximizar os lucros e a rentabilidade do empreendedorismo, o que engloba aqui ter os conhecimentos financeiros adequados. E, principalmente, é preciso zelar para que os ganhos sejam significativamente maiores do que os que você teria ao investir com menos risco. Seu suor tem um preço!

O melhor tipo de investimento será aquele com o qual você se sinta mais à vontade para administrar riscos e para buscar novas informações. É por essa razão que abrir um negócio próprio talvez seja a alternativa mais recomendável para a maioria dos investidores com perfil empreendedor. A informação sobre técnicas de gestão de negócios é mais acessível em relação à de investimentos em ações ou à de qualquer outro investimento. Não faltam exemplos de empresas de sucesso e de fracasso, dos quais se podem tirar lições importantes. O sucesso de sua empresa dependerá essencialmente da capacidade de seus líderes e liderados de aprenderem informações adequadas e aplicá-las na condução do negócio.

E existe uma vantagem a mais em empreender: você pode partir de um capital para investimento relativamente pequeno (em relação a outros investimentos) e ter um grande retorno, dependendo do tipo de negócio envolvido. Pode começar pequeno e chegar longe.

E há algo de vital importância quando se discute sobre riscos e investimentos na atividade empreendedora. Por ser um investimento de risco sensivelmente superior às alternativas do mercado, não podemos simplesmente dizer que o objetivo de um negócio é gerar *lucro*. O objetivo é maior que esse, pois os donos da empresa têm de esperar um *lucro maior do que o que seria obtido em investimentos mais conservadores*. Como não podemos nos dar por satisfeitos com qualquer lucro gerado pela empresa, mas, sim, com um lucro mínimo que justifique os riscos assumidos, podemos adotar como princípio o seguinte:

*O objetivo de uma empresa é gerar rentabilidade.*

Quanto maior o lucro obtido para cada real investido na empresa, maior será a rentabilidade. O empreendedor que decide implementar um negócio precisa trabalhar para ter maiores benefícios financeiros de seu projeto em relação às alternativas de investimento presentes no mercado e acessíveis para ele.

Isso nos remete a uma discussão importante, que são os motivos que levam alguém a empreender. Na raiz dessa motivação pode estar a chave para se começar uma empresa já com a visão financeira adequada, ou então para se corrigirem eventuais problemas em negócios implementados e que dão indícios de problemas na área das finanças.

## Motivos para empreender

Todo negócio, supõe-se, nasce com o propósito de gerar dinheiro, não importam seu tipo ou área, não importa seu tamanho, não importa seu propósito. Quando a conta fecha e o negócio mostra que tem boas chances de ser rentável (ou, no caso dos empreendimentos sem fins lucrativos, quando sua atividade se paga com os fundos previstos), diz-se que o negócio é *viável*.

Qualquer empreendimento, mesmo os públicos ou os sem fins lucrativos, só deve ser iniciado quando se mostra viável, isto é, quando há fontes e geração de recursos suficientes para iniciar e sustentar sua atividade. Não basta a paixão, nem a mobilização, nem a causa, nem a boa resposta do consumidor. Se, ao fazer as contas, o empreendedor não consegue vislumbrar o equilíbrio financeiro, o negócio simplesmente não nasce, ou *não deveria* nascer. Ou, se nasce, o faz fadado a fracassar em pouco tempo.

Sendo assim, o que vemos na prática é que a maior parte das empresas com fins lucrativos nasce de uma *oportunidade* de gerar riqueza.

> *Jerônimo T., de São Paulo, há tempos sonhava em abrir o próprio açougue. Já trabalhava havia dez anos para um açougue de seu bairro, gostava de carnes, era habilidoso com cortes, preferido pelos clientes, tinha um nome conhecido na região. Trabalhar com carnes dava sentido à sua vida. Seu patrão, dono do açougue em que trabalhava, vivia uma vida confortável, morava na melhor casa da rua, tinha sempre carro do ano, filho em escola particular e em curso de inglês. Porém, o que mais incomodava Jerônimo era o fato de perceber que seu patrão havia alcançado um bom nível de vida mesmo cuidando mal de seu estabelecimento, com ressalvas para a higiene, para a fachada decadente, para a má procedência e o trato precário das carnes. Quem cativava os clientes era Jerônimo, e não o negócio de seu patrão. Ele imaginava que, se abrisse o próprio estabelecimento e somasse seu bom conhecimento a um melhor cuidado com os produtos, a um bom atendimento ao cliente e a uma melhor imagem, alcançaria, em breve, resultados superiores aos alcançados pelo patrão. Jerônimo era um apaixonado pelo seu trabalho, mas o que fazia com que estivesse prestes a mudar de vida não era sua paixão, e sim o fato de que sua paixão se mostrava viável.*

No exemplo citado, Jerônimo, depois de trabalhar vários anos como auxiliar de açougueiro, decidiu usar sua poupança para montar o próprio açougue, por acreditar que era possível concorrer com o ex-patrão usando sua experiência de corte de carne e evitando erros que ele nitidamente observava na condução do negócio em que trabalhava. Ele enxergou uma oportunidade de empreender.

Aqui há outros exemplos de casos clássicos e similares ao mencionado que mostram oportunidades de empreender:

- Após perceber que não possui mais espaço para subir na carreira, um engenheiro usa sua experiência de vários anos como empregado de uma grande indústria e monta a própria metalúrgica, passando a fornecer a seus ex-patrões, com a expectativa de não incorrer nos erros que eram normalmente cometidos pelos antigos fornecedores.
- Depois de trabalhar anos como operador de tesouraria de um banco e de acumular gordos bônus obtidos por seu bom trabalho, um ex-bancário resolve colocar sua experiência e seu capital para trabalharem numa corretora de valores própria, visando multiplicar seu patrimônio.
- Ao aderir a um plano de demissão voluntária oferecido pela indústria em que trabalhava, um agora ex-metalúrgico decide abrir uma franquia de um conhecido restaurante, visando obter uma renda maior do que receberia simplesmente aplicando sua verba rescisória.
- Não tendo sucesso ao procurar emprego, um vendedor opta por entrar para uma rede de marketing multinível, usando parte de suas reservas para adquirir sua cota inicial de produtos comercializáveis e outra parte para investir no aprendizado e aprimorar suas habilidades vendedoras.

É interessante perceber que, antes de nascer, a maioria dos negócios evolui principalmente pela *razão*. Em todos esses exemplos, e em grande parte dos casos, tudo começa com planos e contas sendo feitos, consultando-se fornecedores, promovendo-se reuniões com contadores e advogados e elaborando-se cálculos e planilhas. Se não forem viáveis, os projetos são descartados. Se, mesmo com muitas incertezas, o caminho mostrar ter boas chances de viabilidade, o empreendedor arregaça as mangas e mergulha na ação. Iniciada a atividade, milhares de decisões são impostas diariamente ao empreendedor, deixando pouco tempo para refazer planos e se organizar.

Entretanto, em geral o que costuma acontecer é que, com o decorrer do tempo, o que passa a mover o negócio não é mais a *razão*, mas sim a *emoção*: é ver o dinheiro entrando, constatar o sorriso dos clientes, verificar as encomendas crescendo, observar o aumento da participação no mercado, sentir o reconhecimento no jornal do bairro, emocionar-se com a plaquinha recebida da associação empresarial da cidade...

As vendas, o reconhecimento, o sucesso e os números operacionais passam a ser o foco de atenção, na torcida de que, se bem administrados, resultem em lucro. Mas nem sempre o resultado é esse, e muitas empresas de sucesso interrompem suas histórias por não serem lucrativas. Há casos muito conhecidos no mercado: Mesbla, Mappin, Arapuã, Casa Centro são exemplos de nomes de gigantes do varejo que interromperam sua trajetória de décadas de sucesso por falirem quando eram líderes de seus mercados. O motivo:

> *Sucesso comercial não necessariamente se traduz em sucesso financeiro.*

Além disso, a rentabilidade muitas vezes não é levada em consideração, e insiste-se em levar adiante uma empresa por motivos emocionais, e não racionais. Então, lembre-se: você, que apostou ou pensa em apostar todas as suas fichas em seu negócio, não pode correr esse risco. A cada dia que acordar, tenha em mente que seu negócio não irá longe se não for consistente e sustentável na geração de resultados.

Por tudo o que foi mostrado até aqui, considere que, independentemente das motivações que levam alguém a montar um negócio, uma razão muito forte deve ser *ganhar mais dinheiro do que seria possível com outras possibilidades de investimento*. Deve ficar claro para o candidato a empreendedor que uma das condições necessárias para a aceitação do projeto é que a expectativa de remuneração de seu dinheiro seja maior no novo empreendimento em comparação ao rendimento esperado por aplicações em fundos de renda fixa, em um CDB ou em outro investimento financeiro conservador qualquer.

É isso que dá origem às empresas com fins lucrativos. É improvável que alguém decida montar um açougue simplesmente porque sente prazer em cortar carnes. Mas, se não houver boas expectativas de geração de riqueza, o negócio dificilmente vai prosperar.

Não faz o menor sentido aplicar dinheiro em um projeto que intrinsecamente tenha risco e que renda menos que uma alternativa mais conservadora. Qualquer que seja o negócio que você tenha em mente, ele é mais arriscado que o investimento em um CDB de banco de primeira linha, ou em um fundo de renda fixa ou título público federal. Por conseguinte, a expectativa de retorno do projeto deve ser sensivelmente maior que o retorno proporcionado por alternativas de menor risco de investimento financeiro.

### Complexidade, risco e rentabilidade de tipos de negócio

Quem empreende ou quem tem o desejo de empreender baseia seu negócio em uma ideia – que não precisa ser necessariamente inovadora, nem criada pelo próprio empreendedor, mas que vai se traduzir em produtos ou em serviços que serão o coração do seu negócio.

Independentemente da ideia que movimentar sua empresa, há inúmeras decisões a tomar no âmbito de vendas, posicionamento, atendimento, contratação de pessoas e serviços, e organização da rotina. Em uma empresa que acaba de nascer, o empreendedor, que deixou para trás a carreira de trabalhador para iniciar seu negócio, deve funcionar como um canivete suíço, tendo múltiplas funções e basicamente cuidando de tudo.

Dependendo do tipo ou da categoria do negócio, sua complexidade será maior ou menor, assim como seu risco de investimento e rentabilidade. Podemos categorizar os tipos de empreendimento da seguinte maneira:

1) NEGÓCIO INFORMAL: não deixa de ser empreendedor aquele que compra coisas para revender, participa de leilões para comprar barato o que será revendido com lucro ou simplesmente assume um estoque de produtos em consignação para lucrar caso tenha sucesso nas vendas. Há vários nomes para essa atividade: sacoleiro, camelô, roleiro, autônomo, agente de negócios, canal de vendas, franqueado informal. Para exercer seu papel, o empreendedor estará investindo em estoques, na sua vitrine, no seu vestuário, na rotina para se envolver mais nesse negócio. Apesar de informal, não é necessariamente ilícito e é um negócio digno como qualquer outro.

2) VENDAS DIRETAS: com pouco ou nenhum capital, o empreendedor inscreve-se para vender a pessoas de seu relacionamento (daí as vendas serem chamadas de diretas) produtos ou serviços de uma marca

reconhecida pelo público, normalmente por intermédio de catálogo ou de exposição móvel de pequenos estoques, recebendo comissão pelas vendas. As comissões de vendas costumam ser de 20% a 30% do valor vendido, um resultado elevado quando se considera que pouco ou nenhum capital é necessário para começar a vender. Porém os ganhos limitam-se à capacidade de venda do empreendedor.

3) MARKETING MULTINÍVEL: com pouco capital, o empreendedor afilia-se a uma rede estratégica de vendas diretas de produtos ou serviços de marcas cuja venda é mais elaborada e envolve técnicas mais complexas de abordagem do consumidor, sendo responsável não apenas pelas vendas, mas também pela formação de uma rede de vendedores sob sua orientação. O grau de sucesso nesse tipo de negócio depende da capacidade do empreendedor de formar uma rede sob seu gerenciamento, uma vez que ele é comissionado pelas vendas que faz e também pelas vendas feitas pelos membros de sua rede. O risco é considerado baixo, uma vez que o investimento no negócio normalmente é feito através da compra de quantidades mínimas mensais do produto comercializado.

4) FRANQUIA: modelo de negócio em que, seguindo os padrões e exigências de uma marca já estabelecida e reconhecida pelo público, o empreendedor estrutura seu ponto comercial com investimento próprio e compromisso de remunerar a marca franqueadora com parte de seus ganhos, responsabilizando-se pelos riscos de sua unidade de negócio e por zelar pelos padrões de controle e atendimento determinados em contrato. Apesar de caber ao empreendedor franqueado a responsabilidade por riscos trabalhistas e de gestão do negócio, esses riscos se reduzem consideravelmente pelo fato de haver orientações e ferramentas de gestão padronizadas pela franqueadora.

5) MARCA PRÓPRIA: quando o empreendedor assume totalmente os riscos de gestão, trabalhistas, comercial e de marketing, com investimento próprio proporcionalmente maior ao de investir em uma franquia, mas sem ter que compartilhar seus ganhos na forma de royalties ou comissões. Enquadram-se nessa categoria lojistas, varejistas, industriais e profissionais liberais que, para exercer sua profissão, assumem o risco de criar uma marca e uma identidade própria de atendimento, como

médicos, dentistas, arquitetos, terapeutas, *personal trainers*, consultores, advogados, taxistas, esteticistas, *restauranteurs* e afins. Também se enquadram nessa categoria autônomos como tradutores, palestrantes, designers, fotógrafos, músicos e quem faz brigadeiros para vender. Não é diferente o caso do pessoal do marketing digital, os youtubers, blogueiros, gente que ganha dinheiro com anúncios em seus canais. Todos são negócios de marca própria e, portanto, de maior risco. Um taxista, por exemplo, pode assumir todo o risco de investir em sua licença e em seu veículo (marca própria), ou simplificar sua escolha e seus riscos optando por pagar diárias a um frotista (franquia).

Na tabela a seguir, mostro um comparativo entre os tipos de negócio quanto a complexidade, características, investimento, risco e rentabilidade. Ela ajuda a constatar que quanto maior a rentabilidade, maiores são o investimento e o risco. Cabe a cada um avaliar quanto quer, pretende ou consegue administrar, e o que é aceitável para si e para seu projeto de vida.

**FIGURA 2** Comparativo entre os diferentes tipos de negócio

| Nível de Complexidade | Tipo de Negócio | Características | Investimento | Risco | Rentabilidade |
| --- | --- | --- | --- | --- | --- |
| 1 | Negócio Informal | Baixo custo, alta margem, baixa aceitação do consumidor | Baixo | Baixo | Média |
| 2 | Vendas Diretas | Baixo custo, alta margem, aceitação do consumidor | Baixo ou nenhum | Nenhum | Alta, porém limitada |
| 3 | Marketing Multinível | Custo moderado, margem moderada, fidelização do consumidor | Baixo | Baixo | Crescente com a formação de sua rede |
| 4 | Franquia | Alto custo, baixa margem, alta aceitação do consumidor | Médio | Médio | Média |
| 5 | Marca Própria | Alto custo, alta margem, necessidade de trabalhar o consumidor | Alto | Alto | Alta |

## O custo de oportunidade

Quem inicia um negócio é porque identificou que existe uma oportunidade, como já mostrei aqui. Em outras palavras, uma empresa, formal ou informal, só nascerá se existir uma probabilidade, aceitável para o empreendedor, de criar resultados a partir da atividade exercida por essa empresa.

Por outro lado, a atividade empresarial ou empreendedora não é feita apenas de ganhos. Ao colocar seu tempo e/ou seu dinheiro em um negócio, a pessoa que empreende está abrindo mão de empregar seu tempo em uma atividade remunerada, e ganhar com ela, e/ou abrindo mão de aplicar seu dinheiro em outros investimentos, e deixando assim de obter ganhos com eles de outras maneiras.

O que você *deixa de ganhar* ao abandonar um emprego de ganhos previsíveis ou ao sacar as reservas de suas economias para iniciar um negócio próprio é chamado de *custo de oportunidade*.

Para o risco assumido valer a pena, seu negócio precisa lhe render, ao alcançar um patamar de estabilidade, mais do que o dinheiro investido nele renderia se estivesse aplicado no banco, ou mais do que você ganharia com um emprego fixo e remunerado. Afinal, no banco você não teria trabalho para obter os rendimentos, já que é o gestor de investimentos que trabalha para gerar seus rendimentos, e não você. E em um emprego fixo e estável seu risco seria infinitamente menor, consideradas todas as variáveis. Esse ganho a mais esperado ao se investir em um negócio é conhecido, no meio financeiro, como *prêmio pago pelo risco*.

Não havendo prêmio pelo risco, como estabilidade ou possibilidade de crescimento na renda, não vale a pena iniciar uma atividade de negócios do ponto de vista financeiro.

Todavia, considerar um projeto que renda mais que uma alternativa conservadora ainda não é condição suficiente para sua aceitação. O projeto de investimento deve remunerar o risco a que o dinheiro do dono está se sujeitando. *Quanto maior o risco que se corre, maior será a taxa de retorno que o dono deverá exigir do empreendimento.*

O cálculo dos retornos esperados no empreendimento requer a estimação dos *fluxos de caixa* – quanto efetivamente é gerado de dinheiro –, que, por sua vez, requer estimativas de vendas, custos, demanda, etc. Nesse aspecto está uma grande dificuldade: estimar os fluxos de caixa a partir de premissas sobre volume de vendas, preço e custos sustentáveis. A estimativa da taxa de rendimento e dos fluxos de caixa esperados requer que o empreendedor monte um *plano de negócios*. Se você, empreendedor, estiver prestes a iniciar o negócio ou já o estiver conduzindo, porém sem ter um plano de negócios, saiba que está pilotando no escuro.

Em resumo, as constatações de que

- O objetivo da empresa é aumentar o valor do capital do dono da empresa (deixá-lo mais rico);
- A taxa de rendimento esperada no projeto deve ser superior à rentabilidade proporcionada por aplicações conservadoras;
- A rentabilidade esperada do projeto deve remunerar o risco que se correu;
- Nenhuma análise pode ser feita antes de se montar um plano de negócios.

fazem com que a análise financeira do empreendimento deva ser profissional, judiciosa, criteriosa e conservadora. E, antes de fazer essa "lição de casa", não é recomendável colocar um centavo na implementação de um novo projeto.

## A importância da inteligência financeira nos empreendimentos

O que está em jogo ao tomar a decisão de investir em uma empresa é o futuro financeiro de um indivíduo que está inclinado a colocar seu tempo e capital em risco. Se você opta por montar um negócio, o que está em risco é o dinheiro que você pode ter demorado anos para acumular.

Da mesma forma, toda nova decisão em uma empresa pode ser analisada sob a ótica financeira. Mesmo uma simples reunião de acompanhamento de projetos já é um investimento, uma vez que consome horas de profissionais que são pagos para aumentar a riqueza da empresa. Se toda decisão tomada em uma empresa fosse pautada por uma análise dos resultados financeiros obtidos por essa decisão, seria praticamente inevitável que a empresa crescesse.

Esse comentário pode parecer óbvio, mas, acredite: nem mesmo nas grandes empresas se costumam tomar todas as decisões por critérios de resultado. As já citadas empresas que foram líderes do varejo – Mappin, Mesbla, Casa Centro e Arapuã – quebraram porque pautaram suas ações mais no aumento de sua fatia de mercado do que nos resultados obtidos por suas decisões. Aumentaram de tamanho, porém simplesmente incharam em vez de crescer. Seus volumes de vendas, superiores aos dos concorrentes, não puderam ser mantidos por *falta de Capital de Giro*, e essas empresas faliram.

É com o objetivo de equilibrar a *recompensa emocional* (vendas, sucesso, marca, satisfação) com a *recompensa racional* (rentabilidade e sustentabilidade) que passamos a mostrar, nos próximos capítulos, as ferramentas financeiras que o ajudarão a diagnosticar se a condução de seu grande projeto estará sempre no caminho certo: aquele que o conduz a ganhos previsíveis e consistentes com o evoluir de sua história de sucesso. Em resumo, é desenvolvendo a inteligência financeira do empreendedor que será possível tomar decisões mais acertadas em direção aos negócios bem-sucedidos.

Neste ponto é importante dizer que é necessário que você entenda de finanças pelo menos o suficiente para buscar orientação especializada. É como um exame de sangue que você faz no laboratório. Quando você recebe o resultado, com vários números que mostram seus níveis de colesterol, glicemia, triglicérides, hemoglobina e afins, não é preciso ser médico ou enfermeiro para desconfiar de que algo está errado quando determinado indicador está fora do padrão. Mesmo que só possa agendar um retorno ao médico dali a alguns dias, a tendência é que você já evite ingerir açúcares se a glicemia estiver alta, ou gordura se o problema for com o colesterol. Esse conhecimento básico que o coloca em alerta é o necessário para aumentar sua atenção no problema existente e já começar a corrigir o que deixou de funcionar bem.

Este deve ser o papel da inteligência financeira na vida do seu negócio: alertá-lo para possíveis problemas, para avaliar, talvez com a orientação de especialistas, os caminhos de correção. Sem essa avaliação, corre-se o risco de contratar desnecessariamente especialistas que cobrarão apenas para lhe dizer que não há problema, ou para lhe vender uma solução que não é necessária.

Ao final da leitura deste livro, você saberá criar e interpretar um mapa de indicadores financeiros da sua empresa. Ao olhar uma única folha, você poderá identificar os pontos nos quais precisa atuar para gerar mais lucro e saber o que precisa fazer para não começar a perder o que já possui.

A função de um sistema de controle financeiro não é colocar em segundo plano as atividades primordiais da empresa. Ao contrário disso, as energias e o foco do empreendedor sempre devem estar em melhorar seu produto ou serviço, sua relação com os clientes, sua marca, em motivar a equipe e aumentar o desempenho de seu time, em incrementar as vendas, em organizar a logística e aperfeiçoar as técnicas de negociação.

O controle das finanças funciona como os sensores de um automóvel, que sinalizam quando algo errado pode ameaçar uma condução segura.

Serve para evitar que investimentos errados sejam feitos, ou para evitar que juros sejam pagos desnecessariamente – lembre-se de que você não será recompensado por riscos que poderiam ser evitados!

As finanças de um negócio são como a cozinha de um restaurante, aquela área que o cliente normalmente não visita, que até funciona aos trancos e barrancos quando está uma bagunça, mas que garante que o serviço seja impecável quando está bem organizada. Um bom controle financeiro se presta, na verdade, a garantir que sua energia seja canalizada para cuidar do negócio, e não dos números. Quanto mais simples for a organização financeira de um negócio, e quanto menos tempo você precisar dedicar a essa organização, mais tempo terá disponível para o que realmente importa.

Mantenhamos o foco nas coisas certas. As finanças devem deixar de ser uma preocupação ou um fantasma a assombrar seu caminho de sucesso e se tornar um instrumento para atingi-lo mais rapidamente.

Vamos, então, às ferramentas e ao aprendizado!

# 2
# Qual é o plano?

*"Sei que estamos no caminho certo!"*
*"Sinto que vamos conseguir!"*
*"Eu confio!"*

Essas expressões são típicas de quem adota o que eu chamo de *gestão por intuição*. Uma gestão baseada em intuição ou em "achismos" é algo que está a anos-luz da coerência em qualquer tomada de decisão. Decidir algo dessa maneira ou gerir um negócio com essa base afeta drasticamente a rentabilidade de uma empresa.

Decisões tomadas com base na intuição equivalem a um voo cego, que dependerá de alguma dose de sorte para alcançar bons resultados. Lembre-se: devem ser assumidos somente os riscos que não podem ser evitados, como o risco da inovação. Decisões empresariais devem ser tomadas com base em critérios palpáveis, demonstrações financeiras, dados e evidências, e isso significa analisar o retorno segundo o investimento a ser feito. Não se trata aqui de impor a formalização e a burocratização como critérios essenciais para o sucesso. O objetivo é comunicar claramente os planos a todos os envolvidos e ter como medir o sucesso das iniciativas antes e depois de colocadas em prática.

Tomar decisões com base em critérios financeiros significa analisar o retorno obtido pelo investimento a fazer. Por exemplo, se a pauta de determinada reunião for a aquisição de um novo furgão para a frota da empresa para atender a novos clientes potenciais, devem-se considerar os seguintes aspectos:

**Saídas de caixa:** *compra do furgão, licenciamento, IPVA, combustível, manutenção, aluguel da garagem, salário e benefícios do condutor, seguros e Capital de Giro necessário para atender aos novos clientes.*

**Entradas de caixa:** *aumento da receita das vendas em decorrência dos novos clientes que virão com a aquisição do furgão.*

Se a conclusão é que as entradas de caixa compensam adequadamente as saídas de caixa e que o valor da empresa aumenta com o atendimento dos novos clientes, a compra do furgão deve ser feita. O aumento de valor acontecerá quando o recurso direcionado para essa escolha for mais rentável do que se fosse direcionado para outra escolha. O negócio estará crescendo se a decisão for pautada nos resultados. Afinal, o objetivo de qualquer empresa é gerar riqueza.

É importante mencionar também outra possibilidade, que costuma ser relevada no estudo de projetos para se investir: a alternativa de não fazer nada. Em outras palavras, se o detentor do capital estiver analisando três projetos de investimento, sempre existirá a quarta alternativa: não realizar nenhum projeto.

Alguns investidores não conseguem enxergar que esperar mais um pouco pode ser a melhor escolha. A alternativa *não fazer nada* pode ser a mais inteligente até que se encontre outro projeto que se adapte ao perfil de retorno e risco do candidato a empreendedor.

Uma boa avaliação de investimentos resulta no cálculo de indicadores de rentabilidade que ajudam a entender, com precisão, o desempenho do investimento, para que ele possa ser comparado com outras possibilidades de investimento e também com a possibilidade de não fazer nada. Discutirei mais esses indicadores adiante.

## A importância do planejamento

Todo planejamento que puder ser feito no sentido de limitar os *riscos que podem ser evitados* deixará sua atenção focada na melhoria dos fatores de *riscos que não podem ser evitados*, aqueles que efetivamente agregam valor ao seu negócio.

Perceba: você estudou durante mais de dez anos para ter o conhecimento mínimo para se qualificar para o papel de trabalhador assalariado. Não é exagero afirmar que a maioria de suas decisões ao longo dos primeiros dez anos após decidir empreender serão envoltas por muito aprendizado.

No seu período de estudar para empreender, como mostrei, o trabalhador deve se organizar para dedicar parte de seus últimos dez anos de empregado ao aprendizado e preparo de um projeto empreendedor. Esse tempo é precioso para aperfeiçoar seu modelo de negócios.

Se você não teve esse preparo e já está com um negócio em andamento, apenas não negligencie o fato de que está em um processo de amadurecimento de suas habilidades e, por isso, deve investir em conhecimento. Caso contrário, pode colocar seu projeto e seu capital todo a perder. Veja o exemplo a seguir, que ilustra bem essa situação.

> *Inácio, desempregado havia sete meses, contava com apenas R$ 10.000,00 em reservas, que foi o que sobrou de uma rescisão que recebeu ao ser demitido. Parecia, à época, ser muito dinheiro, mas o desespero começou a bater à porta. Os R$ 10.000,00 eram suficientes para sustentar a família por, no máximo, dois meses.*
>
> *Assistindo à televisão, se deparou com um anúncio de máquinas de produzir fraldas infantis e geriátricas. Pelo anúncio, era uma maneira prática e acessível de empreender. Havia dois modelos de máquina: um capaz de produzir mil fraldas semanais, que custava R$ 5.000,00. O outro modelo era capaz de produzir cinco mil fraldas semanais, mas custava R$ 10.000,00. Pressionado pela necessidade, Inácio rapidamente avaliou que a máquina mais cara operava de maneira mais rentável. Se lucrasse R$ 1,00 por fralda (como sugeria o comercial), em duas semanas a máquina estaria paga. Além disso, a produção da máquina mais barata lhe renderia R$ 4.000,00 mensais, menos do que sua família precisava para manter o padrão de vida. Inácio decidiu investir na tal máquina de fazer fraldas e optou, então, pelo modelo mais eficiente.*
>
> *Ficou feliz por não ter que pagar pela ligação através da qual fez a encomenda, já que tinha um número 0800 à sua disposição. Ansioso para iniciar a atividade que, enfim, traria alívio financeiro à sua família, não via a hora de o equipamento chegar. Surpreendeu-se quando, no dia seguinte, tocaram sua campainha para entregar a encomenda. "Que eficiência!", pensou.*
>
> *Ao colocar a máquina na tomada, percebeu que, para operá-la, estavam faltando os insumos iniciais necessários para produzir as fraldas. E que eles não estavam incluídos no preço. Para sua sorte, contava com o 0800 gratuito para encomendar os insumos, que teve que pagar*

com o cartão de crédito, o que o fez perder um desconto de 5% na encomenda. Pelo menos, aprendeu uma dica importante sobre negociação.

Enquanto aguardava a chegada dos insumos, desligou a máquina, porque ela esquentava muito – teria que planejar uma reforma em sua garagem, para melhorar a ventilação. Primeiro investimento na expansão dos negócios anotado!

Encomenda recebida ("São rápidos mesmo!"), começou a produção. Até aprender a lidar com o equipamento, perdeu uma pequena parte dos insumos comprados. Pensou em lançar como custo pré-operacional, ou como gastos com treinamento. Mas ficou claro que precisaria de um ajudante, que no começo teria que ser informal, para não minar de vez suas expectativas de lucro. Teria que consultar alguém sobre contratação, leis trabalhistas e a burocracia da folha de pagamento.

Ao final da primeira semana de trabalho, já havia um ajudante trabalhando na apertada e quente garagem ("Patrão, já ouviu falar sobre insalubridade?"), e a garagem estava cheia de fraldas prontas, pouco mais de 4 mil unidades. No planejamento da semana seguinte já estava incluída uma nova linha nas contas: Perdas & Ineficiência.

Deu um certo trabalho pensar em como vender aquela produção toda, mas, para felicidade de Inácio, um cunhado seu trabalhava em uma grande rede de supermercados. Ele mesmo sinalizou que havia boas chances de Inácio vender a produção toda para a linha de marca própria da rede. Foram alguns dias para conseguir a reunião de negociação, que enfim saiu, mas foi dura para Inácio. A rede varejista aceitava comprar a produção, sob a condição de Inácio garantir a produção de 5 mil fraldas por semana ("Sim, nem que eu faça hora extra"), baixar em R$ 0,75 o preço por unidade para igualar à concorrência ("OK, todo mundo começa pequeno...") e aceitar um prazo de pagamento de 60 dias ("... começa pequeno mesmo!"). Pela necessidade, Inácio aceitou as condições, saindo da reunião com um duro aprendizado sobre negociação.

Voltando à sua garagem, sentiu que os 60 dias para receber poderiam ser um problema, já que, para produzir mais, precisava de mais insumos. "Meu limite do cartão não será suficiente. Será que meu cunhado ajuda nessa também?" Mas havia um problema imediato a resolver: seu ajudante já pedia o pagamento da semana anterior. "Calma, meu caro! Todo mundo começa pequeno, temos que ser parceiros!

*Pago assim que receber do cliente."* O assunto sobre leis trabalhistas começava a ficar urgente.

Ligou para o contador para entender como emitir a nota fiscal para o cliente. *"Como assim? Nosso registro na Junta Comercial só sai daqui a dois meses? E o imposto será maior do que conversamos?"* Agora, estava aprendendo uma dura lição sobre tributação, burocracia, Custo Brasil, etc. E estava consciente de que teria dificuldades para pagar por mais insumos, pelo ajudante, pelos tributos (*"Verdade? Tenho que pagar antes de receber?"*), pelos gastos da abertura da empresa, pela logística de entrega... Em breve, a próxima lição seria sobre Financiamentos e Empréstimos.

*"Parecia tão lucrativo..."* O ápice foi quando chegou a conta de fornecimento de energia, com um valor muito acima do esperado, que explicava por que a máquina esquentava tanto. Estava aprendendo até, quem diria, sobre termodinâmica!

Tivesse estudado um pouco mais sobre seu negócio antes de começar, talvez Inácio descobrisse que outras pessoas caíram na armadilha da falta de planejamento. Descobriria também que há um mercado secundário de máquinas que foram tomadas pela Justiça ou pela financeira, ou mesmo vendidas por outros empresários que abandonaram os negócios. Perceberia que, para iniciar em uma atividade que conhece pouco, talvez fosse interessante começar com uma máquina de segunda mão, mais barata por ser usada e por não oferecer serviços acessórios que têm um custo, como um Serviço de Atendimento ao Consumidor e uma logística expressa de entrega.

Paga-se um preço pela conveniência, pelas etapas queimadas, pelos serviços que fazem por nós a lição de casa que deveríamos fazer antes, ou que limitam os *riscos que poderiam ser evitados*. O problema é que muitos empreendedores não têm capital disponível para pagar esse preço da falta de um planejamento mais eficiente.

Está aí o mais frequente erro estratégico de quem decide abrir o próprio negócio: o aprendizado na prática. Todo manual básico sobre empreendedorismo diz que, se você planejar demais, nunca iniciará. Mas é um equívoco pensar assim, pois o planejamento e o estudo de seu negócio, de sua operação, de seu mercado e de suas finanças podem clarear muito as opções que você tem pela frente. É impossível antever todas as variáveis, mas limitar essas variáveis é um bom começo, por uma simples razão: você terá muito a aprender com a prática, por isso não deve deixar tudo para ser aprendido ao mesmo tempo.

Por mais que se planejem as atividades de uma empresa, principalmente as de uma nova empresa, haverá sempre decisões que precisarão ser testadas para validar sua eficiência. Entre elas, estão as estratégias de divulgação, a contratação de pessoas e a definição de seu mix de produtos e/ou serviços.

Quando se diz que, ao iniciar uma empresa, não se recomenda a retirada dos lucros por pelo menos um ano e meio a dois anos, há duas razões lógicas para essa recomendação:

1. DIFERENCIAR-SE DA CONCORRÊNCIA. Você está começando, seus concorrentes também estão. Quem entra em um negócio como o seu tem um perfil como o seu e capital no mesmo nível que o seu. É ingenuidade considerar-se melhor que os concorrentes, mesmo aqueles que ainda não o ameaçam. Sobreviverá quem souber se diferenciar, e essa diferenciação acontece investindo em seu negócio. Seus lucros iniciais são, portanto, combustível para fortalecer sua empresa em relação às ameaças do mercado.

2. ADEQUAR AS ESTRATÉGIAS. Seus planos iniciais pressupõem que suas escolhas darão certo. Porém, erros são normais. Pode ser que o público não reaja às suas estratégias de marketing da maneira como você espera. Você terá que investir em novas estratégias até acertar. Pode ser que parte das pessoas contratadas não tenha o desempenho que aparentava entregar quando foi entrevistada. Você terá que demiti-las e contratar outras pessoas. Uma empresa em seus primeiros meses de vida é um protótipo, que só terá uma rotina definida depois de ajustar algumas estratégias.

## Plano de Negócios ou *Business Plan*

Sempre que se inicia um negócio ou uma etapa nova no negócio, que pode ser uma expansão com uma filial ou simplesmente uma nova linha de produtos ou serviços, é produtivo mapear os primeiros meses de atividade para que você quantifique e avalie as consequências de suas decisões. Dependendo dessas consequências, você pode decidir seguir em frente ou ajustar as escolhas para reduzir os riscos e dar maior certeza a seus objetivos.

O *plano de negócios* vai além de um plano de intenções. Ele é, basicamente, um mapa para se atingir o destino desejado. Idealmente, conduz do ponto de partida à meta final: do conceito básico do negócio a uma empresa saudável e bem-sucedida. Além disso, fornece uma noção dos obstáculos, indicando caminhos alternativos. Um plano de negócios eficaz é o resultado da pesquisa que você fez do mercado em que irá atuar e das condições que reuniu para gerar seus lucros nessa atividade, incluindo:

- O estudo de mercado que foi feito para concluir que seu negócio é viável, considerando:
  - Produtos e/ou serviços concorrentes;
  - Negócios que concorrem diretamente com o seu (concorrentes que disputarão clientes com você);
  - Negócios que concorrem indiretamente com o seu (que disputarão com você a atenção e os interesses do público);
  - Preços que potenciais clientes estariam dispostos a pagar pelo que será vendido;
- Descrição objetiva dos produtos e/ou serviços que pretende oferecer;
- Intenções de compra de seus potenciais consumidores;
- Descrição de como formará a equipe de colaboradores do negócio;
- As hipóteses adotadas em termos de vendas, custos, despesas e cenários, com argumentos que justifiquem a adoção dessas hipóteses;
- Descrição de como utilizará o dinheiro (capital) no negócio, ou seja, a *estratégia de investimento do capital*;
- Descrição de onde será obtido o capital investido na empresa, se apenas dinheiro próprio ou se também contará com financiamentos, ou seja, a *estratégia de financiamento do negócio*;
- O fluxo de entradas e saídas de dinheiro do negócio, ou seja, o *orçamento* e o *fluxo de caixa*;
- Os resultados esperados da atividade, ou seja, os *lucros esperados*;
- Os planos de *reinvestimento dos lucros*, visando fortalecer e expandir o negócio.

Lembre-se sempre: o plano de negócios não é uma simples descrição da empresa para documentar intenções. Ele é uma maneira de descrever, em linguagem de negócios, as intenções do negócio e também os meios para alcançá-las. É a maneira mais objetiva de convencer parceiros, sócios potenciais e financiadores de recursos de que você tem um plano bem organizado para alcançar resultados, e que por isso vale a pena participar desse projeto.

Sem um plano de negócios, haverá dificuldade principalmente para obter crédito, pois a falta de um plano organizado demonstra que o negócio não passa de intenções que ainda não estão prontas para se transformar em execução.

Para quem já tem ou vai iniciar um negócio e não sabe como fazer um plano de negócios, há uma vasta literatura específica sobre esse assunto. Particularmente, recomendo que o empreendedor se inscreva em um curso específico sobre estruturação de novos negócios, como o Empretec, curso de empreendedorismo desenvolvido pela ONU e ministrado no Brasil pelo Sebrae.

### Respostas que você precisa ter sobre seu negócio

O plano de negócios, apesar de ajudar a clarear as ideias em relação aos rumos de sua empresa, é feito para *prestar contas* de suas ideias a terceiros, normalmente de fora da empresa.

Já o *relatório gerencial* é um resumo dos principais indicadores da empresa, que, quando analisado com frequência, ajuda a entender a evolução do negócio e também a detectar divergências com aquilo que foi planejado.

Diferentemente dos relatórios contábeis, não existe um modelo padrão de relatório gerencial. Na prática, ele deve ter as informações que são relevantes para todos que tomam as decisões na empresa e deve ser claro, objetivo e compreensível por todos os interessados. Por exemplo, é comum que em empresas familiares um dos sócios seja responsável pela operação e outro pela administração. O relatório gerencial serve para comunicar as informações mais relevantes àquele que não participa diretamente da administração.

Adiante, detalharei as informações gerenciais mais importantes para os negócios, para sugerir, ao final, um modelo de relatório gerencial. Buscaremos as seguintes respostas para os sócios de seu negócio:

- Estaremos em equilíbrio nos próximos meses?
- Estamos crescendo?
- Estamos mais eficientes/melhorando a rentabilidade?
- Temos fôlego para crescer mais?
- Os investimentos previstos são viáveis?

- Para investir mais, utilizaremos recursos próprios ou de terceiros?
- A estratégia de investimentos está mais eficiente?
- A estrutura de capital está mais eficiente?
- Quanto poderemos distribuir dos resultados?

## Orçamento: antecipando problemas e conquistas

Não é exagero afirmar que todo planejamento financeiro de um negócio bem-sucedido começa na construção do *orçamento*. Se fizéssemos a comparação das ferramentas financeiras com um kit de sobrevivência na selva, o orçamento seria o equivalente à lanterna. Sua função não é apurar o que já aconteceu, mas sim mostrar o que vem adiante.

O orçamento não deve ser confundido com os instrumentos que apuram os chamados fatos contábeis, ou seja, aquilo que já aconteceu e foi registrado. Orçamento é a *projeção* dos efeitos financeiros decorrentes de *premissas* que são assumidas a partir de decisões que irão afetar os negócios futuros.

*Saiba aonde você quer chegar e aonde você não deve ir*

Para se construir um bom orçamento é necessário partir de bons números atuais, ou seja, números confiáveis, para que as premissas assumidas para as projeções sejam apenas ajustes feitos com base na experiência passada.

O passo a passo da construção de um orçamento é o seguinte:

- Obter relatórios financeiros confiáveis, que retratem adequadamente os negócios até a mais recente data de apuração das informações contábeis.
- Estudar os relatórios contábeis. Caso alguma informação aparente esteja fora da normalidade, deve-se auditar essa informação – isto é, solicitar ou apurar um detalhamento para entender o motivo da anormalidade.
- Com base nas decisões tomadas no passado, adotar premissas de ajustes nas vendas, de corte de custos e de melhorias nos processos.
- Se o cenário econômico for de mudanças ou instabilidade, criar diferentes conjuntos de premissas para diferentes análises; normalmente, utiliza-se uma projeção provável, uma otimista e uma pessimista.
- Projetar as consequências das premissas adotadas em relatórios que simulem o fechamento contábil do(s) próximo(s) períodos.

- Calcular os diversos indicadores financeiros sobre os relatórios financeiros projetados.
- Avaliar a evolução dos indicadores e efetuar ajustes nas premissas para melhorar tais indicadores.
- Orientar as diversas áreas da empresa (se for o caso) para as novas premissas de condução dos negócios e das rotinas.

Diversas necessidades serão atendidas com o orçamento. Ao projetar as consequências das premissas estratégicas, é possível identificar e prevenir a escassez de recursos como caixa (Capital de Giro), mão de obra e estoques. Ao projetar os indicadores financeiros, é possível ajustar as decisões estratégicas de maneira a aperfeiçoar premissas do passado, mas também para que o empreendedor não avance com estratégias que conduzam a uma situação pior do que a atual.

## Planejar é vital

Planejar é importante, mas a essência do empreendedorismo é partir para a ação. Analisando os indicadores corretos, o empreendedor dedicará menos tempo à administração do negócio e mais tempo à estratégia e à melhoria dos processos. Isso vale para negócios de qualquer porte.

Ram Charam, um dos mais renomados consultores dos presidentes das maiores empresas americanas, dizia que uma boa empresa é aquela em que seu presidente dedica duas horas por dia a gerenciar o negócio e as horas restantes a jogar golfe. Justificava sua afirmação citando o lendário Jack Welch, seu cliente enquanto presidente da General Electric, que fazia *calls* diários de menos de duas horas com as dezenas de presidentes das diversas empresas do grupo e depois deixava a empresa.

Na verdade, a essência da afirmação de Ram Charam era que todo presidente de empresa deveria olhar seus indicadores gerenciais diariamente. O restante do dia deveria ser para "jogar golfe", uma metáfora usada para fazer negócios, já que, nos Estados Unidos, grandes negociações são fechadas durante partidas de golfe. Jack Welch ficou conhecido por aperfeiçoar os produtos da empresa após observar o comportamento dos consumidores durante as compras.

Já dizia Winston Churchil: "Por mais bela que seja a estratégia, de vez em quando dê uma olhada nos resultados."

## 3
# Produto bom, negócio ruim

Não é incomum existirem empresas que possuem produtos ou serviços bons, com boas vendas, tudo indo aparentemente bem, com clientes e funcionários satisfeitos, mas o negócio não dá lucro. O que será que há de errado? Será que aquele empreendimento não é viável? O exemplo abaixo ilustra bem a situação.

> Durante décadas, a família de Gildo tocou um comércio varejista de jardinagem, construindo uma boa reputação em seu bairro e atraindo clientes de localidades distantes. Sua loja ocupava uma área equivalente à de duas casas grandes, em um bairro nobre de São Paulo, e estava sempre cheia de clientes, principalmente aos sábados. Os ganhos eram suficientes para prover a família de um bom padrão de vida e uma educação de primeira a Gildo e seus dois irmãos. Com a aposentadoria de seus pais, Gildo e os irmãos assumiram a empresa e estudaram a possibilidade de expandir o negócio para outras localidades.
>
> Optaram por formar parcerias com supermercados, lojas de materiais de construção e outras lojas de jardinagem menores, onde poderiam valorizar sua marca sem a necessidade de investir em novos imóveis e instalações. Como tinham boa reputação, o novo negócio logo vingou. Praticavam uma boa margem de ganhos, cerca de 100% sobre o preço de aquisição dos insumos, o que lhes garantia boa margem de manobra caso alguma parceria não desse muito certo.
>
> Com a presença da marca em mais localidades, ganharam força de mercado e as vendas simplesmente se multiplicaram. A loja original

continuava cheia, tiveram que expandir a equipe, tudo parecia ir às mil maravilhas. Até entrevistas para a televisão Gildo concedia.

Mas, curiosamente, apesar do crescimento significativo, Gildo e seus irmãos não vinham conseguindo fazer retiradas maiores do que seus pais faziam. Pelo contrário, o volume de contas a pagar vinha crescendo e o banco começava a sinalizar que iria limitar o crédito concedido para compra de insumos e equipamentos. Havia algo de errado no sucesso do negócio.

## Negócios que não prosperam

Qual será a causa dos negócios que têm tudo para ir bem mas não prosperam? Existem, de maneira geral, dois tipos de empresas que não dão lucro. Em um deles, a causa não está relacionada com as finanças; no outro, tem tudo a ver com elas:

*1) Negócios que não dão lucro mas não possuem problemas financeiros*

Há empresas que negociam produtos ou serviços com qualidade abaixo da esperada pelo consumidor, ou que possuem colaboradores e/ou parceiros insatisfeitos, ou que esbarram em burocracias excessivas não previstas com antecedência, ou que sofrem com a concorrência agressiva, ou que não entendem por que não vendem nada enquanto a concorrência mal dá conta da clientela. Essas empresas não dão lucro porque não vendem mais e o problema pode ser de marketing, de estratégia, de pessoal, de organização, de falta de foco ou de qualquer outra natureza, e não será uma melhor gestão das finanças que irá salvá-las.

*2) Negócios que não dão lucro porque possuem problemas financeiros*

Há empresas com excelentes produtos ou serviços, que dominam seu mercado, que têm vendas em crescimento, clientes satisfeitos, marca sólida, reconhecimento público, que causam inveja à concorrência, que possuem colaboradores engajados e bom clima de trabalho, mas que têm dificuldades de remunerar seus sócios de maneira minimamente satisfatória, ou mesmo que possuem dificuldades para manter suas contas em dia. Esse é o tipo de negócio que vende muito bem mas não dá lucro porque tem problemas financeiros e de gestão dessa área.

**FIGURA 3** Origem da falta de lucro das empresas

```
          ┌──────────────────────────────┐
          │ NEGÓCIOS QUE NÃO DÃO LUCRO   │
          └──────────────┬───────────────┘
                         │
    ┌─────────────┐  ⇦  ⇨  ┌─────────────┐
    │ PROBLEMAS   │        │   OUTROS    │
    │ FINANCEIROS │        │  PROBLEMAS  │
    └─────────────┘        └─────────────┘
```

Por esse ponto de vista, fica claro que contar com conhecimentos e ferramentas financeiras adequados não é garantia de lucro. Se um negócio não tiver uma boa estratégia, produto ou entendimento do cliente, não há modelo financeiro que salve os planos. Por outro lado, a melhor empresa do mundo pode fracassar se não contar com uma estrutura financeira mínima que permita antecipar os problemas a tempo de serem resolvidos antes de arruinarem o negócio.

Meu objetivo aqui é criar as soluções e a inteligência financeira para negócios que estejam preparados para vender seus produtos e serviços. Isso inclui ter um produto bom, um serviço eficaz, um time engajado, planos para fortalecer a marca, boa estratégia de marketing, logística eficiente, conhecimento de mercado e boa assessoria jurídica.

Nesse ponto, levam vantagem os empreendedores que optaram por exercer sua atividade por meio de uma marca consolidada (como é o caso das franquias ou das empresas familiares com tradição e liderança de mercado) ou de uma estratégia meticulosamente articulada e de larga escala (como é o caso das vendas diretas e do marketing multinível).

## Os três grandes erros financeiros nas empresas

Em uma empresa que não está tendo lucro por problemas financeiros, em geral há três grandes erros que são cometidos. Se um consultor financeiro for contratado para diagnosticar quais são os problemas com as finanças de qualquer negócio, tenha ele o porte que tiver, certamente irá apontar um ou mais desses três aspectos, que discutirei a seguir.

### Erro 1 – Não planejar entradas, saídas e o destino do lucro

Parece redundância afirmar que problemas começam por falta de planejamento. Mas, de fato, muitos dos problemas financeiros nos negócios acontecem porque o empreendedor não faz algumas coisas que parecem básicas, como planejar as entradas e saídas de dinheiro na empresa. Quem não tem um bom planejamento financeiro não sabe:

- Onde há dinheiro parado desnecessariamente.
- Quanto a empresa está devendo a terceiros, como fornecedores, concessionárias, governo, bancos e sócios.
- Quando a empresa terá de pagar o que deve.
- Quando e quanto sairá de dinheiro do caixa.
- Quando e quanto entrará de dinheiro no caixa.

Isso acontece porque não foi feito o devido mapeamento de como estão organizadas as finanças da empresa, incluindo os investimentos, a geração de recursos e o fluxo de entradas e saídas de caixa.

Não é preciso ser criativo para organizar essas informações; afinal, trata-se da contabilidade básica da empresa, um conjunto de instrumentos padronizados inventado há séculos e que pode ser obtido com uma simples solicitação a um contador. Caso a empresa não tenha um contador ou prefira fazer a contabilidade por conta própria, não faltam aplicativos e softwares financeiros de baixo custo que fornecem essas informações de maneira simples e intuitiva.

Muitos problemas de falta de dinheiro em caixa seriam evitados se, a cada encomenda feita para vendas futuras, o tomador de decisões rabiscasse em uma folha de papel a linha do tempo, anotando quando receberá a encomenda, quando conseguirá fazer a venda, quando pagará ao fornecedor e quando receberá o dinheiro. Ao fazer isso, é possível perceber, por exemplo, que em alguns casos as vendas simplesmente não podem acontecer antes de haver a negociação para uma linha de crédito para cobrir a falta de caixa. A grande verdade é que:

*Empresas quebram por falta de dinheiro, e não de lucro.*

Vender com uma boa margem de ganho não significa que a empresa conseguirá arcar com os pagamentos que precisa fazer antes que cheguem os recebimentos a que ela tem direito. Para isso, é preciso saber mais sobre administração do Capital de Giro, assunto que abordarei em detalhes mais adiante.

Entenda que a falta de planejamento financeiro se traduz em falta de visão do seu negócio. Se você já dirigiu numa estrada com neblina densa, sabe do risco que está assumindo. Na hora que surgir o problema, pode ser tarde demais para evitá-lo.

## Erro 2 – Superdimensionar a estrutura do negócio

Existem casos em que o negócio cresce acima das expectativas e chega a uma situação em que sua estrutura não dá mais conta de atender à demanda. Esse é o chamado *subdimensionamento*, uma falha estratégica de falta de visão de mercado, e não financeira.

O subdimensionamento pode até afetar as contas a partir do momento em que a empresa começa a contar com serviços de terceiros para cobrir sua limitação de capacidade, mas mesmo assim esse não é considerado um assunto de âmbito financeiro, mas sim estratégico.

Já o *superdimensionamento* é considerado um erro essencialmente financeiro, caracterizado pelo investimento em equipamentos com capacidade de operação superior à necessidade ou ao rendimento das vendas, por falta de estudo da demanda do mercado.

O exemplo que mencionei de Inácio e da fábrica de fraldas ilustra bem o caso. Há vários erros a listar para justificar a morte do sonho de Inácio. Faltou um plano de negócios, com um estudo do mercado, de preços, de produção, de aquisição de insumos. Faltou conhecer melhor o negócio, para entender suas armadilhas e os custos ocultos. Faltou também Capital de Giro, os recursos necessários para pagar os compromissos que surgiriam antes de começar a entrar dinheiro.

Mas nada disso seria um problema efetivo se Inácio não tivesse dado um passo maior do que a perna. No processo de conhecer o mercado, teria sido sensato começar com uma produção menor, investindo apenas metade do capital disponível em uma máquina que demandaria menos gastos com insumos, o que permitiria destinar recursos para impostos, energia, gastos extras e burocracia enquanto o primeiro pagamento não entrava.

Se o negócio vingasse, parte dos ganhos poderiam ser reservados para, futuramente, expandir a produção com uma máquina mais cara e mais eficiente, talvez até financiada com uma linha de crédito subsidiada.

Quando o dinheiro se fez necessário, estava empatado em equipamentos que atendiam a uma necessidade ainda não constatada na operação do negócio. Em termos operacionais e comerciais, houve sucesso. No início, também houve lucro. Mas, a empresa sucumbiu à falta de dinheiro.

O superdimensionamento, que é comprar equipamentos mais eficientes do que as contas permitem, é uma prática comum quando não se tem certeza da demanda do mercado. Empresas compram o ar-condicionado mais eficiente, o veículo maior, o computador mais veloz, o smartphone com mais funcionalidades, os móveis mais duráveis, tudo por acreditar na generosidade e na abundância do Senhor Mercado. Mas na sequência acabam tendo de recorrer a bancos para obter fôlego financeiro.

Muitas vezes, o dinheiro que falta não foi realmente aproveitado. Por exemplo, quando a cozinheira habilidosa que faz os melhores brigadeiros do bairro decide montar uma cozinha industrial para aumentar sua escala de produção e seus ganhos, estrategicamente está fazendo uma boa escolha. Mas, se essa escolha resultar em dificuldades para comprar os ingredientes, financeiramente a decisão deve ser adiada. Isso pode mudar se, nos planos da cozinheira, estiver previsto, por exemplo, arrendar sua cozinha durante a madrugada para outra cozinheira que produz quentinhas para entregar pela manhã. Com os ganhos adicionais do arrendamento, o equipamento estará em pleno uso e, provavelmente, a combinação das duas operações será viável.

Superdimensionamento não se refere apenas a equipamentos. É comum, no comércio e na indústria, constatar-se superdimensionamento de estoque. Para economizar em logística e diminuir a frequência de pedidos, muitas empresas deixam parado nas prateleiras o dinheiro que está faltando no banco. O dinheiro falta, mas não foi usado. Dependendo do custo, o problema se resolve fazendo pedidos menores e com maior frequência em vez de se tomar dinheiro emprestado no banco e assumir a despesa adicional com juros.

*Erro 3 – Fazer empréstimos em vez de financiamentos*

Muitos acreditam que as palavras *empréstimo* e *financiamento* são sinônimas e referem-se simplesmente ao serviço de emprestar recursos feito por um banco ou instituição financeira. Essa percepção *equivocada* é resultado de uma combinação de ingenuidade e falta de informação.

*Empréstimo* é um serviço financeiro completamente distinto do serviço denominado *financiamento*. Pense nas opções que você tem como pessoa física: quando se fala de *financiar algo*, o que vem à mente? Imóvel, automóvel, reforma, curso de pós-graduação, certo? Financiamento refere-se a utilizar o dinheiro da instituição financeira para uma destinação específica, geralmente a compra de algo claramente discriminado nesse contrato de financiamento e que costuma servir de garantia da operação, ou seja, se o devedor não paga, o bem financiado pode ser tomado de volta pelo banco.

Já empréstimo refere-se a uma operação de socorro financeiro, entendida como a cessão de recursos da instituição financeira para aqueles cujos planos não funcionaram como o previsto e resultaram em falta de dinheiro.

Nas empresas, quando há escassez de caixa, ou seja, falta de Capital de Giro, por motivos diversos, inclusive por investimentos superdimensionados, é comum que elas recorram a *empréstimos* bancários, em geral a juros altos. Mas essas empresas poderiam preservar seu capital para futuras necessidades, como as contas do dia a dia, por exemplo, utilizando *financiamentos* que estão largamente disponíveis para adquirir alguns itens necessários ao seu funcionamento, como máquinas, imóveis e veículos, e a juros baixos.

Em vez de gastar recursos nas aquisições de bens e precisar recorrer a caros empréstimos bancários, com juros elevados, as empresas deveriam antes se programar para entrar em planos de financiamento. Por exemplo, ao comprar um veículo, pode-se cometer o erro de pagá-lo à vista e, depois, precisar recorrer a bancos para conseguir pagar os salários e o combustível do veículo. Em vez disso, poderia ter sido feito um financiamento do carro e manter dinheiro em caixa.

Solicitar um financiamento é completamente diferente de solicitar um empréstimo. Coloque-se no lugar de quem deve avaliar se empresta ou não dinheiro a você. Quem solicita o financiamento de um bem apresenta ao banco uma perspectiva oposta à daquele que pede um socorro financeiro:

- Quem procura financiar um veículo, um equipamento industrial, uma reforma ou seus estudos está buscando maneiras de concretizar planos de melhoria em sua empresa ou em sua vida. Há o contexto positivo de que "tenho condições de dar mais um passo". É uma visão otimista do futuro. Já quem solicita um empréstimo está reconhecen-

do sua incapacidade de fazer planos; afinal, se está com dinheiro em falta, é porque aconteceu algo diferente do que foi previsto.
- Em um financiamento, o item financiado sempre serve como garantia de recebimento para o banco. O imóvel só pode ser registrado em nome do comprador depois de quitado. Um automóvel fica *alienado* em nome do banco ou financeira até a quitação. Máquinas são passíveis de apreensão pela Justiça se o financiamento atrasa. Mesmo reformas e cursos oferecem garantias: o banco jamais libera todo o valor do financiamento em uma só prestação. A liberação acontece aos poucos, à medida que etapas da obra são concluídas, ou a cada trimestre, mediante a comprovação de notas acima da média. Se a obra não evolui ou se o aluno não se aplica, a instituição financeira deixa de liberar recursos, preservando-se – ao menos parcialmente – de um projeto que pode não se concretizar futuramente. Em um empréstimo, simplesmente não há garantia de recebimento. O devedor paga se puder e se quiser, e, caso comprove não poder pagar, não poderá ser acusado de cometer um crime.
- Financiamentos são produtos típicos de uma expectativa otimista e com risco controlado de não pagamento. Já empréstimos são resultado de planos não concretizados, que embutem uma expectativa pessimista e uma possibilidade razoável de não pagamento. Por esses motivos, financiamentos sempre são mais baratos do que empréstimos. Para reduzir o custo dos empréstimos, costuma-se exigir a figura de um avalista ou fiador. Porém, ao eliminar o risco financeiro, coloca-se em risco o relacionamento: o devedor não tem a obrigação legal de pagar, enquanto que o fiador tem, incondicionalmente.
- Por mais que o banco tenha um produto financeiro a lhe oferecer, entenda que, ao solicitar *empréstimos*, automaticamente você e sua empresa são entendidos como risco potencial para a instituição, e por isso terão que pagar um *prêmio adicional pelo risco maior* assumido pela instituição financeira. Entre os clientes de risco, alguns não pagam, e os que pagam devem assumir o custo de sua operação e também o das operações malsucedidas. Daí os juros serem bem mais elevados, principalmente em períodos de crise econômica.

Um bom planejamento financeiro antevê as necessidades de recursos e utiliza estratégias para evitar que se paguem juros maiores que o necessário.

**FIGURA 4** Diferenças entre financiamento e empréstimo

| FINANCIAMENTO | X | EMPRÉSTIMO |
|---|---|---|
| DE BENS OU PROJETOS | | DE DINHEIRO |
| CARACTERIZA PLANOS SENDO CONCRETIZADOS | | CARACTERIZA PLANOS QUE NÃO DERAM CERTO |
| O OBJETO DA COMPRA SERVE COMO GARANTIA | | NÃO HÁ GARANTIA DE RECEBIMENTO |
| CENÁRIO OTIMISTA | | CENÁRIO PESSIMISTA |
| MAIS BARATO | | MAIS CARO |

Uma estratégia interessante é vender equipamentos antigos e depreciados para fazer caixa e lidar com gastos cotidianos comprando um equipamento novo financiado, com custo financeiro inferior ao que se teria ao contratar um empréstimo.

Outra estratégia bastante recomendada é aproveitar a hora certa de pedir dinheiro: normalmente, quando menos se precisa. Quando a conta corrente de uma empresa carrega os resultados de um trimestre sensacional, com bons lucros já embolsados e fôlego para uma nova etapa de expansão, essa é a hora de sentar com o gerente do banco.

Nesse momento, bem antes de os problemas acontecerem, o empreendedor mostrará que não precisa do socorro do banco e que pode crescer com recursos próprios. Por outro lado, se o banco tiver interesse em participar de sua história de sucesso, por que não avaliar se as taxas de juros e os limites de crédito podem ser melhorados? Quando chegar o momento em que um suporte financeiro se fizer necessário, condições melhores para seu negócio já estarão negociadas.

# 4
# A empresa do ponto de vista financeiro

O gestor de uma empresa deve, necessariamente, possuir um conjunto de conhecimentos sobre contabilidade que são ferramentas universais e padronizadas de gestão para empresas de qualquer porte. Em todo lugar do mundo, com pouquíssimas variações quanto à forma, o *balanço patrimonial* e a *demonstração do resultado do exercício* (os mais essenciais documentos contábeis) serão empregados como ferramentas de controle e prestação de informação para as partes interessadas.

São partes interessadas nas informações de uma empresa todos aqueles que, direta ou indiretamente, realizam transações de cunho econômico-financeiro com ela, entre eles o proprietário, o banco, um fornecedor, o governo (que deseja averiguar se os tributos estão sendo adequadamente calculados e pagos) e também um cliente que queira verificar a capacidade produtiva e financeira de seu fornecedor.

Como sócio ou gestor da empresa, você estará interessado em ter dados sobre a *rentabilidade do negócio*, o *giro do estoque*, o *grau de imobilização do Ativo* e o *perfil do Passivo* (conceitos que detalharei adiante), entre outras informações de fundamental importância. As respostas para essas questões estão nas demonstrações financeiras preparadas pelo contador, seja ele interno ou terceirizado.

É claro que, se o porte da empresa for muito pequeno, a contabilidade pode ser sua última preocupação. Embora isso não devesse acontecer, verifica-se, do ponto de vista prático, que empreendedores desprezam o controle contábil de suas empresas. Enquanto a empresa mantiver um porte reduzido, talvez o empreendedor não perceba o erro que está cometendo.

À medida que esta se desenvolve e sua operação ganha volume, o empresário se depara com diversas situações em que o balanço patrimonial e outras peças contábeis são solicitados.

Algumas dessas possíveis situações são:

- A empresa fecha um grande projeto, altamente lucrativo. Contudo, para dar prosseguimento, será preciso um empréstimo ou financiamento bancário. A primeira solicitação do gerente do banco são as demonstrações financeiras. Se sua contabilidade não estiver organizada, o que você vai mostrar ao banco?
- Grandes clientes costumam verificar a situação econômico-financeira de seus fornecedores para determinar as condições comerciais de seus produtos. Uma maneira de o grande cliente aquilatar a saúde financeira de seu candidato a fornecedor é analisar suas peças contábeis. Muitas empresas perdem excelentes clientes por não terem uma contabilidade formal.
- Se você for o candidato a comprador/vendedor da empresa, em algum momento da negociação alguém vai questionar: "Deixe-me olhar o balanço patrimonial da empresa", "Você poderia me explicar a natureza desses recebíveis?" ou "Qual critério de amortização você está utilizando no Ativo?". Então, o que você faz? Diz que não sabe?
- Um fiscal do governo pode inquiri-lo sobre algum ponto do balanço patrimonial ou da demonstração do resultado do exercício.
- Você deseja saber se sua empresa está apresentando resultados melhores ou piores que os da concorrência. Essa comparação com outras empresas é conhecida como *benchmarking*. Nesse caso, é necessário que você conheça contabilidade e que as demonstrações financeiras de sua empresa estejam em ordem.

O ponto é que você não terá como fugir da responsabilidade de ter um conhecimento mínimo acerca de alguns aspectos contábeis elementares. Se insistir em fugir dessa responsabilidade, continuará dirigindo no escuro – nesse caso, cada curva será uma surpresa e uma emoção. Reitero que você não precisa se tornar um exímio contador para se tornar empresário. Porém o conhecimento básico das principais peças contábeis é fator importante para o sucesso e a sustentabilidade de sua empresa.

## O contador

Para administrar bem seu negócio, o empreendedor deve contar com especialistas que possam esclarecer suas dúvidas e necessidades, e demandar desses profissionais as melhores ferramentas para ajudar nas suas decisões.

Se você tiver acesso a informações-chave que sejam acompanhadas regularmente e que sinalizem quando algo estiver saindo da normalidade, você já terá como focar sua atenção nesse desequilíbrio – ou, como se diz no meio financeiro, você poderá auditar aquela informação suspeita.

Isso pode ser feito solicitando detalhes a um contador ou perguntando a esse profissional como identificar com mais detalhes a natureza de determinada mudança. Se o desequilíbrio no indicador é algo passageiro ou o início de um processo de maior risco que deve ser revisto, só uma pesquisa mais aprofundada poderá determinar. Mas o importante é ter como identificar uma ameaça antes que ela se torne um problema.

Não raro, a contratação de advogados e contadores se faz pelo critério do menor custo, já que o capital de qualquer novo negócio é escasso. Pesquisar e negociar preços não é uma atitude condenável, muito pelo contrário. Porém a contratação de serviços básicos, como uma revisão contratual, tende a viciar a relação e condicionar o prestador de serviços a entender que sua empresa sempre estará contando com o mais básico dos serviços.

Um contador, por exemplo, possui formação profissional para não apenas elaborar os documentos contábeis básicos obrigatórios como também para auxiliar nas estratégias fiscais e para elaborar ferramentas de análise que podem ser bastante úteis na administração de qualquer negócio.

## Interpretando a empresa por meio dos números

A maneira mais simples de entender uma empresa, do ponto de vista dos números, é representando-a através de seu Ativo, que é o conjunto de valores que, somados, resultam no patrimônio da empresa.

Em outras palavras, a empresa pode ser financeiramente descrita como um conjunto de investimentos feitos. Esses investimentos estão descritos na contabilidade como **Ativo** (ou patrimônio) da empresa e são constituídos por todos os bens e direitos da empresa: estoques, equipamentos, veículos, imóveis, dinheiro em caixa para pagamentos e recebíveis de clientes (caracterizados por produtos ou serviços que foram vendidos, mas ainda não foram recebidos), entre outros.

**FIGURA 5** Representação do Ativo de uma empresa

```
              Estoques   ┌─────────────┐
          Equipamentos   │    Ativo    │
              Veículos   │             │
               Imóveis   │ Investimentos│
       Dinheiro em caixa │    feitos   │
             Recebíveis  └─────────────┘
```

O Ativo só existe porque a empresa tinha recursos disponíveis ou crédito para adquiri-los. Nem todos os recursos são dos sócios, pois a empresa pode ter obtido empréstimos com bancos, comprado estoques a prazo aumentando o Ativo (sem usar os recursos até então disponíveis) ou até mesmo estar com recursos em caixa pelo fato de ainda não ter pagado seus impostos, salários e contas de consumo. Todos os compromissos que consumirão parte do Ativo (o caixa, por exemplo) no futuro são considerados recursos de terceiros ou, em linguagem contábil, Passivo da empresa. Isso é o mesmo que afirmar que o Passivo é formado por recursos da empresa originários de terceiros, ou recursos devidos a terceiros.

O valor do Ativo da empresa, após se descontar a parte que está comprometida com terceiros (ou seja, o Passivo), é o chamado Patrimônio Líquido, pois constitui a parcela do patrimônio que compete aos sócios após se liquidarem as dívidas.

**FIGURA 6** Investimentos e Recursos de uma empresa

```
┌───────────────┬──────────────────┐
│               │    Passivo       │
│               │                  │
│    Ativo      │  Recursos de     │
│               │   terceiros      │
│ Investimentos ├──────────────────┤
│    feitos     │   Patrimônio     │
│               │    Líquido       │
│               │                  │
│               │ Recursos próprios│
└───────────────┴──────────────────┘
```

Cabe ressaltar que o lado direito da Figura 6 (que representa o demonstrativo conhecido como *Balanço Patrimonial*) não passa de uma mera descrição da origem dos recursos que estão aplicados nas atividades da empresa. Esses recursos não estão disponíveis em nenhum lugar, pois já estão investidos no Ativo. Enquanto o lado esquerdo do Balanço Patrimonial procura descrever a realidade dos investimentos, o lado direito apenas descreve a origem daqueles recursos investidos. Por essa razão, o total do Ativo iguala-se ao total do Passivo adicionado ao Patrimônio Líquido.

## As Receitas, as Despesas e o Lucro

Os investimentos que estão no Ativo não fazem sentido se não existir um resultado para a empresa. Por isso, justificamos a existência de aplicações de recursos na empresa pela possibilidade que eles trazem de geração de Receitas, das quais parte será utilizada para pagar as Despesas típicas das operações empresariais.

**FIGURA 7** O Ativo da empresa deve gerar Receitas

E, depois de as Receitas pagarem as Despesas, surgem os lucros:

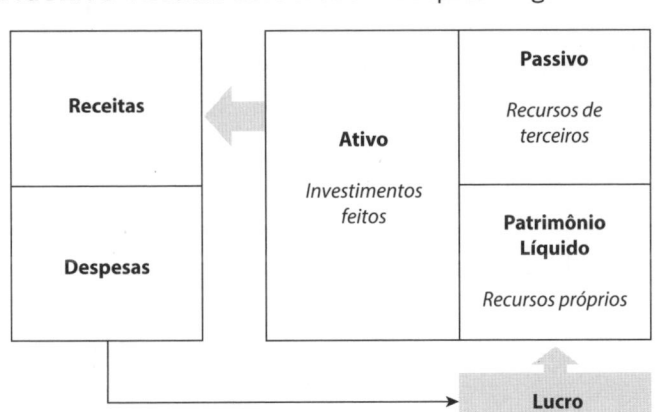

**FIGURA 8** Receitas devem cobrir Despesas e gerar Lucro

## Empresa saudável

Uma vez que apenas o lucro não é suficiente para sustentar uma empresa, ou seja, é preciso haver rentabilidade, ou seja, remuneração do risco incorrido ao se empreender, podemos afirmar que uma *empresa saudável* é aquela que gera lucro suficiente para atender às expectativas de retorno de seus donos e também para permitir mais investimentos no negócio.

Na Figura 9 demonstro o que é chamado, na teoria financeira, de *Dinâmica da Continuidade*. Se a empresa é considerada o melhor investimento para sócios que sabem administrar seu risco, é recomendável assegurar que parte do próprio lucro gerado seja revertido em novos investimentos nessa rentável oportunidade. Quanto mais Ativo tiver, teoricamente mais Receitas a empresa gerará e terá, e maior será o lucro de seus proprietários, justificando o investimento feito.

Com a *Dinâmica da Continuidade*, a empresa é entendida como uma atividade que cresce incessantemente, gerando cada vez mais lucro em função de maiores investimentos feitos. É exatamente o efeito dos ganhos sobre ganhos, ou juros sobre juros, que um investidor obteria também ao aplicar seu dinheiro em fundos ou em títulos no mercado financeiro.

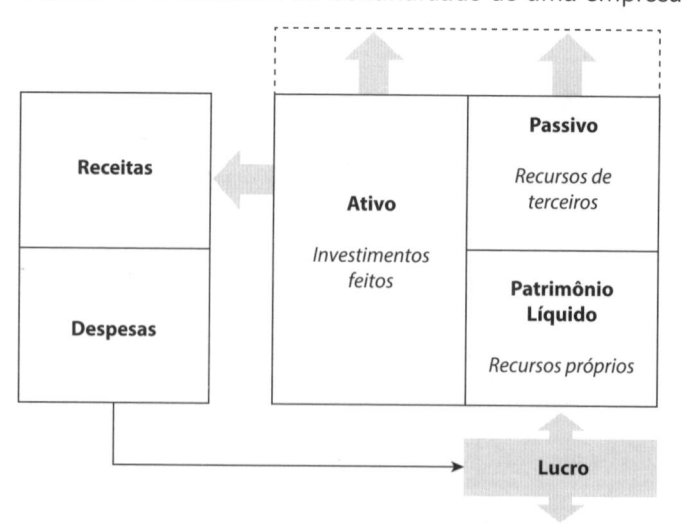

**FIGURA 9** A Dinâmica da Continuidade de uma empresa

## Lucro não é a parte do dono

É um erro considerar que lucro é a parte que cabe aos donos da empresa. Segundo a Dinâmica da Continuidade, o reinvestimento contínuo de parte dos lucros é uma forma de garantir a execução dos planos de crescimento e também gerar uma espiral de prosperidade crescente.

Na fase inicial da vida de uma empresa, é bastante razoável e recomendável que os lucros gerados sejam reinvestidos no próprio negócio, de maneira a acelerar seu crescimento. A decisão de quanto tirar do caixa da empresa para remunerar seus proprietários deve ser tomada com base em planos claramente estabelecidos. O primeiro aspecto a ser discutido é a diferenciação entre pró-labore e remuneração do capital investido pelo sócio.

O pró-labore consiste no salário do dono, pelo fato de ele trabalhar na sociedade. Imagine que você decida montar uma franquia de um restaurante. Você considera uma retirada mensal de R$ 10.000,00 razoável? Antes de responder a essa pergunta, outras dúvidas devem ser esclarecidas. Por exemplo, se o proprietário trabalha ou não na empresa. Se o proprietário não trabalhar na empresa, isso significa que os R$ 10.000,00 mensais de retirada não correspondem ao pró-labore, mas sim à remuneração do capital investido. Contudo, se o proprietário trabalhar no negócio, a retirada mensal de R$ 10.000,00 inclui pró-labore e a remuneração do capital investido.

Portanto, antes mesmo de montar o negócio, é preciso decidir se você, como proprietário, vai ou não trabalhar na empresa. Se você não trabalhar na empresa, terá de contratar alguém que o faça, e essa contratação gerará um gasto adicional. Caso você trabalhe na empresa, é importante decidir antecipadamente o valor do seu pró-labore. Considere como pró-labore o valor que você gastaria ao contratar um bom gestor para dirigir a empresa. No exemplo anterior, se seu pró-labore for de R$ 6.000,00 e sua retirada for de R$ 10.000,00 isso significa que a remuneração mensal sobre o capital investido é de R$ 4.000,00.

Infelizmente, é comum encontrar muitos pequenos ou médios empreendedores que não sabem diferenciar uma coisa da outra, ou seja, diferenciar pró-labore de remuneração do capital investido, particularmente aqueles que adquiriram franquias. Muitas vezes, o argumento de venda do franqueador é: "Invista seu dinheiro e tenha uma taxa de retorno mensal de 5%. Você não encontrará esta oportunidade em outros negócios." Pode até ser que a promessa seja verdadeira, embora pouco provável.

Algumas perguntas devem ser formuladas àqueles que prometem 5% de retorno mensal sobre o capital investido:

- "Esse percentual de 5% supõe que o dono da franquia terá de trabalhar no negócio?" Se a resposta para a pergunta for afirmativa, a próxima pergunta será:
- "Esse percentual de 5% considerou qual será o pró-labore mensal para o dono da franquia?"

Na maioria dos casos, quando se diz que o empreendimento gera 5% ao mês para o dono do negócio, mistura-se retorno sobre o capital investido com pró-labore.

Considere uma franquia que exija investimento total de R$ 200.000,00 com uma promessa (falsa) de retorno de 6% ao mês, o que significa R$ 12.000,00 mensais. Pressupondo-se que o dono tenha de trabalhar e exija pró-labore de R$ 8.000,00 mensais, restam R$ 4.000,00 de remuneração do capital investido. Assim, a próxima pergunta é: "Será que R$ 4.000,00 remuneram adequadamente um capital de R$ 200.000,00 a uma taxa de 2% ao mês?"

Se sua resposta for afirmativa, considere os seguintes pontos:

- Suponha que, atualmente, com R$ 200.000,00 seja possível obter, em um banco de primeira linha, mais de R$ 2.000,00 por mês em rendimentos com o principal de R$ 200.000,00 *preservado*. Isto é, a qualquer momento, é possível dispor dos R$ 200.000,00 investidos no banco.
- Se, alternativamente, investirmos R$ 200.000,00 no negócio, teremos R$ 4.000,00 de remuneração mensal pelo capital investido; contudo, os R$ 200.000,00 *não terão sido preservados*. Isto é, não sabemos se poderemos vender o negócio ou o Ativo do negócio por R$ 200.000,00. Esse é um risco a ser remunerado. Será que os R$ 4.000,00 são suficientes para pagar o risco que se corre? (Para responder a essa pergunta, você precisa conhecer as técnicas de Valor Presente Líquido [VPL] e Taxa Interna de Retorno [TIR] que discutirei adiante.)

Um agravante das decisões relacionadas à distribuição do lucro é a falta de conhecimento adequado do negócio, geralmente em função da existência de uma contabilidade precária. Para saber quanto do lucro pode ser distribuído e quanto deve ser investido, é importante reconhecer que nem sempre todos os gastos da empresa são visíveis ao gestor.

Somente com uma contabilidade eficiente aparecerão gastos que não se traduzem em saídas de caixa, como depreciações de itens do Ativo e amortizações de direitos (a perda de valor decorrente de seu consumo). Por falta de conhecimento de custos ocultos, é comum que empresários usufruam de um lucro que, na verdade, não têm, pois estão deixando de provisionar recursos fundamentais para a futura reposição de itens do Ativo que se tornam obsoletos ou deixam de existir.

**FIGURA 10** A atividade da empresa gera riquezas que devem levar ao seu crescimento

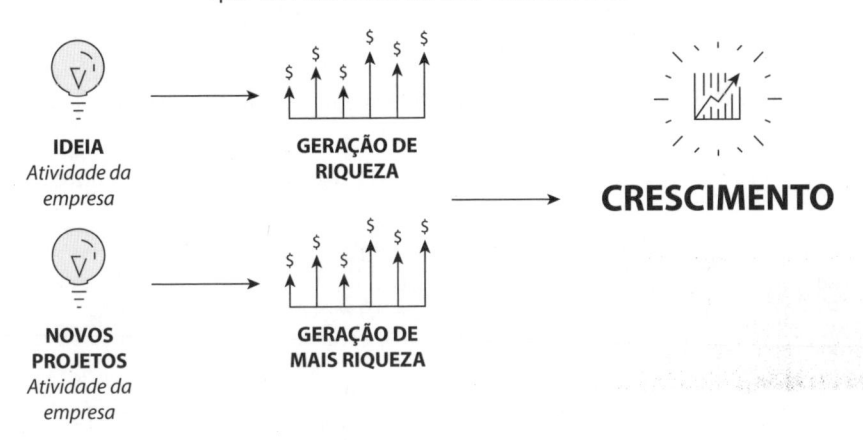

IDEIA
*Atividade da empresa*

GERAÇÃO DE RIQUEZA

NOVOS PROJETOS
*Atividade da empresa*

GERAÇÃO DE MAIS RIQUEZA

**CRESCIMENTO**

## O balanço patrimonial

O balanço patrimonial é a demonstração financeira que apresenta, em uma determinada data, a situação dos investimentos feitos na empresa e a descrição de onde foram obtidos os recursos para estes. É como uma fotografia da estratégia de investimento da empresa em um dado momento. Por meio dele, é possível saber sobre a saúde financeira da sua empresa.

Além disso, permite a você discutir com o gerente do banco ou com um potencial comprador, ou com outros interlocutores, sobre a situação da sua empresa em caso de solicitação de financiamentos, venda da empresa ou negócios de grande porte. Sem esse conhecimento disponível, certamente eles ficarão com receio de fazer negócio com a sua empresa e suspeitarão de seu grau de profissionalismo.

No balanço, as contas são agrupadas de modo a facilitar o conhecimento e a análise da situação financeira da companhia. O lado esquerdo mostra o conjunto de bens e direitos de uma empresa. O lado direito descreve suas obrigações.

**Lado esquerdo (aplicações dos recursos):** Se a empresa possuir um automóvel, um prédio ou uma licença de software, tais itens serão registrados no Ativo da empresa. Tanto Ativos tangíveis (veículos, estoques, terrenos, móveis e utensílios) como Ativos intangíveis (licenças de software, recebíveis de clientes, patentes, marcas) devem ser registrados no Ativo da empresa.

**Lado direito (fontes dos recursos):** Se a fonte do recurso ou obrigação da empresa for com seus donos, ela será registrada no Patrimônio Líquido. No entanto, se a obrigação da empresa for com terceiros (bancos, fornecedores, governo, funcionários), ela será registrada no Passivo.

De maneira resumida, um balanço patrimonial tem o seguinte formato:

**FIGURA 11** Estrutura do Balanço Patrimonial

| Aplicações de Recursos | Fontes de Recursos |
|---|---|
| **Ativo** <br> Conjunto de bens e direitos possuídos por uma empresa em determinada data | **Passivo** <br> Obrigações da empresa em relação a terceiros |
| | **Patrimônio Líquido** |

O Passivo e o Patrimônio Líquido indicam as fontes de recursos que estão financiando o Ativo. Se a empresa possuir R$ 50.000,00 no Ativo, ela deverá, necessariamente, ter Passivo e Patrimônio Líquido que, somados, resultem em R$ 50.000,00. Isso indica que sempre, em qualquer situação:

**Total do Ativo = Total do Passivo + Patrimônio Líquido**

Porém, é importante entender que essa igualdade não é uma questão matemática em que valores devem ser somados dos dois lados e resultar no mesmo número. A *Equação de Equilíbrio* que propõe que o Ativo é igual à soma das diferentes fontes de recursos da empresa é resultado, na verdade, de uma *Equação Fundamental* que explica que, ao se subtraírem as obrigações do patrimônio da empresa, teremos o Patrimônio Líquido (PL) ou livre das obrigações com terceiros. Essa é uma maneira simplificada de fazer uma primeira aproximação do *Valor da Empresa*, desde que tenham sido respeitados todos os preceitos contábeis para se apurarem os números.

**FIGURA 12** A Equação de Equilíbrio e a Equação Fundamental

**Equação de Equilíbrio**

Bens + Direitos = Obrigações + PL

**Equação Fundamental**

Bens + Direitos − Obrigações = PL

Quando se fala de Capital Próprio, referimo-nos ao Patrimônio Líquido, que indica os recursos dos proprietários que estão financiando todo o Ativo ou parte dele. Por *Capital de Terceiros* entendemos o dinheiro tomado do banco, da financeira, do fornecedor, ou então os recursos devidos a esses e a outros agentes, mas ainda não pagos. É parte fundamental do planejamento financeiro a estimativa de quanto Capital Próprio os donos terão de investir e quanto Capital de Terceiros será necessário para complementar os investimentos.

**FIGURA 13** Fontes de Recursos da Empresa

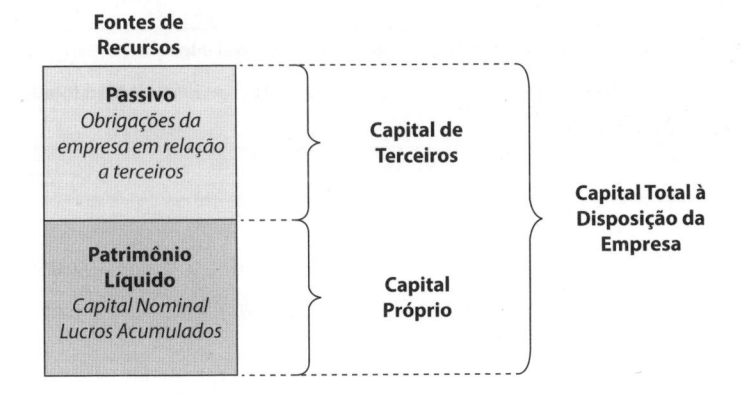

**Fontes de Recursos**

**Passivo**
*Obrigações da empresa em relação a terceiros*

**Patrimônio Líquido**
*Capital Nominal Lucros Acumulados*

Capital de Terceiros

Capital Próprio

Capital Total à Disposição da Empresa

## Construindo um balanço patrimonial simplificado

Imagine a situação de um pequeno comerciante, dono de uma empresa denominada Legal Comércio de Roupas Ltda. A empresa foi criada com capital inicial de R$ 4.000,00, depositados em uma conta da empresa. Com as informações disponíveis, o Balanço Patrimonial da Legal Comércio de Roupas Ltda. tem a seguinte configuração:

**FIGURA 14** Balanço Patrimonial de abertura de uma empresa

| Balanço Patrimonial da Legal Comércio de Roupas Ltda. | | | |
|---|---|---|---|
| ATIVO | | PASSIVO + Patrimônio Líquido (PL) | |
| Banco: Conta Movimento | R$ 4.000,00 | PASSIVO | |
| | | PL | |
| | | Capital Social | R$ 4.000,00 |

Em um momento posterior, a empresa necessita comprar mercadorias no valor de R$ 5.000,00. O fornecedor tem como política de venda exigir 20% à vista, que no caso correspondem a R$ 1.000,00, e o restante a ser pago em 30 dias, no valor de R$ 4.000,00. Ao aceitar as condições do fornecedor, o pequeno comerciante adicionará a seu estoque (conta de Ativo) R$ 5.000,00.

*Como esse Ativo (estoque) foi financiado?* O estoque foi adquirido empregando-se R$ 1.000,00 de recursos próprios já existentes (dinheiro proveniente do dono) e R$ 4.000,00 de recursos de terceiros (fornecedor que financiou R$ 4.000,00 por 30 dias). A nova configuração do balanço patrimonial da Legal Comércio de Roupas Ltda. passa a ser a seguinte:

**FIGURA 15** Balanço Patrimonial após compra de mercadorias

| Balanço Patrimonial da Legal Comércio de Roupas Ltda. | | | |
|---|---|---|---|
| ATIVO | | PASSIVO + Patrimônio Líquido (PL) | |
| Banco: Conta Movimento | R$ 3.000,00 | PASSIVO | |
| Estoque | R$ 5.000,00 | Fornecedores | R$ 4.000,00 |
| | | PL | |
| | | Capital Social | R$ 4.000,00 |
| Total Ativo | R$ 8.000,00 | Total Passivo + PL | R$ 8.000,00 |

E se o pequeno comerciante não quisesse pagar os R$ 1.000,00 para dar a entrada exigida pelo fornecedor? Talvez você faça a seguinte reflexão: "A empresa tem dinheiro em caixa. Logo, ela pode pagar ao fornecedor a quantia referente à entrada de R$ 1.000,00." O ponto é que as empresas, mesmo com dinheiro em caixa, podem optar por pegar empréstimo bancário de maneira a não reduzir sua liquidez (capacidade de pagamento).

Então, uma alternativa seria pedir essa quantia emprestada a um banco ou a uma cooperativa de crédito. Nessa hipótese, todo o estoque seria financiado com recursos de terceiros. O novo balanço patrimonial da empresa seria:

**FIGURA 16** Balanço Patrimonial após empréstimo de recursos

| Balanço Patrimonial da Legal Comércio de Roupas Ltda. | | | |
|---|---|---|---|
| ATIVO | | PASSIVO + Patrimônio Líquido (PL) | |
| Banco: Conta Movimento | R$ 4.000,00 | PASSIVO | |
| Estoque | R$ 5.000,00 | Empréstimo bancário | R$ 1.000,00 |
| | | Fornecedores | R$ 4.000,00 |
| | | PL | |
| | | Capital Social | R$ 4.000,00 |
| Total Ativo | R$ 9.000,00 | Total Passivo + PL | R$ 9.000,00 |

O exemplo anterior visa evidenciar que o Passivo, isto é, as dívidas da empresa, não deve ser visto como um mal ou como algo indesejado. O Passivo serve para financiar os Ativos e, por isso, será bem-vindo se viabilizar a aquisição de Ativos que gerem riqueza. Naturalmente, a riqueza proporcionada pelo Ativo deve ser maior que o custo do Passivo.

Dois aspectos principais devem ser analisados na hora de verificar se a empresa deve ou não utilizar recursos de terceiros:

*Aspecto 1: O custo do Passivo deve ser inferior à taxa de rentabilidade do Ativo*

O primeiro aspecto diz respeito ao custo do Passivo, que deve ser inferior ao retorno proporcionado pelo Ativo a ser adquirido. Faz sentido tomar dinheiro emprestado à taxa de 5% ao mês (supõe-se que 5% seja a menor taxa de juros que o empreendedor consiga tomar para o empréstimo ou financiamento) para comprar uma mercadoria (Ativo) que proporcione aumento de riqueza de 100%, portanto, superior ao custo do Passivo.

**Exemplo:**

Uma ótica toma emprestados, hoje, R$ 5.000,00 do banco, à taxa de 10% ao mês, por 30 dias, de modo a comprar armações de óculos à vista por R$ 5.000,00. Logo, após um mês, a loja deverá pagar ao banco a quantia de R$ 5.500,00.

As armações serão vendidas por R$ 10.000,00 e a entrada de caixa por conta da venda ocorrerá justamente quando o empréstimo bancário vencer. Um mês depois, a ótica recebe R$ 10.000,00 de seus clientes e quita a dívida com o banco no valor de R$ 5.500,00.

Perceba que, embora os 10% ao mês de taxa de juros cobrados pelo banco sejam muito altos, ainda mais alta é a margem com que a empresa trabalha, fazendo com que o empréstimo não seja um fator negativo.

O exemplo anterior é muito simples, pois todas as informações necessárias para sua análise foram fornecidas. Do ponto de vista prático, saber a taxa de juros cobrada pelo banco é simples. Menos simples é apurar a taxa de retorno proporcionada pelos Ativos da empresa, o que será visto adiante.

*Aspecto 2: O prazo de maturação do Ativo deve ser compatível com a exigibilidade do Passivo*

O palavreado técnico pode parecer difícil, mas é uma ideia fácil de entender. Mesmo que a taxa de rendimento do Ativo seja maior que o custo do Passivo (como visto acima no Aspecto 1), a dívida pode não ser bem-vinda se houver grandes desníveis entre os prazos de recebimento e os prazos de pagamento. De que adianta tomar emprestado um valor com taxas mínimas para construir uma usina hidrelétrica se a dívida vencer em dois anos? A construção de uma hidrelétrica requer muitos anos e, se ela for financiada com dívida, esta deve vencer apenas quando o projeto já estiver gerando resultados. Deve-se adequar, portanto, o tipo de dívida ao tipo de Ativo a ser financiado.

## Ativo Circulante e Ativo Permanente

Um erro clássico de gestão de pequenos negócios é ignorar que os custos daquilo que é comercializado não se limitam ao preço de aquisição ou de matérias-primas. A elaboração de uma venda se faz com o uso de mercadorias (no comércio), estoques de itens que compõem um produto (na indústria) ou ingredientes e insumos (nos serviços), itens estes que fazem parte do Ativo Circulante da empresa. Mas a venda não acontece sem a contribuição de investimentos feitos em maquinário, construções, lojas, clínicas, veículos e equipamentos, itens que compõem o Ativo Permanente da empresa, também chamado de Ativo Imobilizado. O exemplo a seguir mostra a importância dessa diferenciação.

> *Lourdes fazia sucesso nas festas da família. Seus doces eram disputados por adultos e crianças, pois ela tinha uma mão para a cozinha como poucos têm. Quando seu marido se viu desempregado, uma das soluções cogitadas foi fazer doces para fora, afinal era algo que não exigiria muito preparo por parte da Lourdes. Decidiram, então, usar parte do seguro--desemprego para comprar um fogão industrial. Em três dias, Lourdes já tinha aprendido todos os detalhes de funcionamento e cuidados do equipamento, e estavam cozinhando grandes volumes de brigadeiros, que rapidamente começaram a ser absorvidos pelo mercado.*
>
> *Curiosamente, muitos compravam sem mesmo conhecer Lourdes ou a fama de seus doces. Passaram semanas vendendo toda a produção, até que um dos clientes decidiu alertá-los: "Seus brigadeiros são muito bons! Ninguém espera um doce com tanta qualidade, afinal vocês os vendem a preço muito baixo!"*
>
> *"Será?", pensou Lourdes. "Por que ele acha o preço baixo, se estamos cobrando o dobro do que gastamos com ingredientes no atacadista? Ainda mais que, com a sobra, ganhamos o suficiente para nos manter..."*

Lourdes estava cometendo um clássico erro de precificação de seu produto. Sua margem de ganho era calculada apenas sobre os custos com ingredientes, ignorando que, para produzir, ela havia investido em uma cozinha industrial. Mesmo que já estivesse paga, seu investimento devia ser diluído como parte do custo de cada brigadeiro produzido. Afinal, dentro de algum tempo seu fogão industrial esgotaria sua vida útil e teria que ser reposto.

O consumo de Ativos que compõem o *Imobilizado*, ou seja, o conjunto de investimentos feitos para atender à operação da empresa, é resultado da perda de valor dos bens físicos decorrente do desgaste sofrido com o uso ou com o tempo, o que é chamado de *Depreciação*. Quando não se trata de bens físicos, mas sim de direitos adquiridos (como, por exemplo, valores a receber), o termo utilizado é *Amortização*.

Normalmente, a Depreciação é calculada com base na vida útil estimada para o bem a que ela se refere. Se um molde, por exemplo, é capaz de imprimir estampas em cem camisetas, a cada camiseta vendida deverá ser considerado o custo de 1% do preço de aquisição do molde. Da mesma forma, a cada cem camisetas vendidas deverão estar provisionados recursos suficientes para comprar um novo molde.

Enquanto esses recursos vão sendo acumulados em caixa, o mesmo valor vai sendo deduzido do Ativo, na conta chamada *Depreciação Acumulada*.

**FIGURA 17** Balanço Patrimonial com Ativo Circulante e Ativo Permanente

**Situação 1: Compra de molde para início da impressão de camisetas**

| Balanço Patrimonial da Legal Comércio de Roupas Ltda. | | | |
|---|---|---|---|
| ATIVO | | PASSIVO + Patrimônio Líquido (PL) | |
| ATIVO CIRCULANTE | | PASSIVO | |
| Caixa | R$ 0 | PL | |
| ATIVO PERMANENTE | | | |
| Imobilizado | | Capital Social | R$ 500,00 |
| Moldes | R$ 500,00 | | |
| Total Ativo | R$ 500,00 | Total Passivo + PL | R$ 500,00 |

**Situação 2: Efeito da depreciação após produzir 50 camisetas**

| Balanço Patrimonial da Legal Comércio de Roupas Ltda. | | | |
|---|---|---|---|
| ATIVO | | PASSIVO + Patrimônio Líquido (PL) | |
| ATIVO CIRCULANTE | | PASSIVO | |
| Caixa | R$ 250,00 | PL | |
| ATIVO PERMANENTE | | Capital Social | R$ 500,00 |
| Imobilizado | | Lucros Acumulados | R$ 0 |
| Moldes | R$ 500,00 | Receita | R$ 250,00 |
| (–) Depreciação acumulada | (R$ 250,00) | (–) Despesa Depreciação | (R$ 250,00) |
| Total Ativo | R$ 500,00 | Total Passivo + PL | R$ 500,00 |

## Situação 3: Efeito da depreciação após produzir 100 camisetas

| Balanço Patrimonial da Legal Comércio de Roupas Ltda. | | | |
|---|---|---|---|
| ATIVO | | PASSIVO + Patrimônio Líquido (PL) | |
| ATIVO CIRCULANTE | | PASSIVO | |
| Caixa | R$ 500,00 | PL | |
| ATIVO PERMANENTE | | Capital Social | R$ 500,00 |
| Imobilizado | | Lucros Acumulados | R$ 0 |
| Moldes | R$ 500,00 | Receita | R$ 500,00 |
| (–) Depreciação acumulada | (R$ 500,00) | (–) Despesa Depreciação | (R$ 500,00) |
| Total Ativo | R$ 500,00 | Total Passivo + PL | R$ 500,00 |

Repare que, para simplificar o raciocínio, considerei como Receita apenas o valor da venda correspondente à depreciação, como se a venda fosse sem lucro. Há entrada de caixa, mas esse caixa é suficiente apenas para repor o consumo de Ativos. Portanto, não há lucro.

## 5

# O lucro do negócio

A estratégia de investimentos traduzida pelos Ativos da empresa tem como objetivo rentabilizar o investimento feito pelos sócios, descrito no Patrimônio Líquido. Entretanto, para que esses Ativos se transformem em ganhos, deverão acontecer processos de vendas lucrativas, ou seja, vendas cujos valores sejam superiores aos gastos que foram assumidos para que elas acontecessem. Como, então, apurar se o resultado do dia a dia dos negócios é lucrativo? Pela Demonstração do Resultado do Exercício (DRE).

### Demonstração do Resultado do Exercício (DRE)

A DRE é o documento contábil que responde às seguintes perguntas:

- Depois de ter operado o mês/ano inteiro, quanto a empresa ganhou, já descontados os impostos?
- Quanto a empresa gastou com despesas de vendas?
- Quanto a empresa gastou com despesas administrativas?
- Quanto a empresa gastou com despesas financeiras, decorrentes de empréstimos e financiamentos?
- Quanto a empresa gastou com impostos sobre as vendas?
- Quanto a empresa teve de lucro antes da incidência dos impostos sobre o lucro?
- Quanto a empresa gastou com impostos sobre o lucro?

A DRE evidencia justamente o caminho percorrido a partir da Receita de Vendas, deduzida de custos, despesas e impostos, até se chegar ao Lucro ou

Resultado do Exercício. Ela está estruturada de forma lógica, evidenciando a análise do resultado em quatro etapas:

1. Resultado bruto
2. Resultado operacional
3. Resultado não operacional
4. Resultado líquido.

Resumidamente, a DRE tem o seguinte formato:

**Receita Bruta de Vendas**
    (−) Impostos sobre Vendas
    (−) Devoluções, Abatimentos ou Descontos
(=) Receita Líquida de Vendas
    (−) Custos
(=) Lucro Bruto
    (−) Despesas Operacionais
        Despesas Comerciais
        Despesas Administrativas
**(=) Lucro Operacional**
    (±) Resultado Não Operacional
**(=) Lucro Antes de Impostos sobre o Resultado**
    (−) Impostos
**(=) Resultado Líquido ou Lucro Líquido**

Tecnicamente, a DRE é considerada um desmembramento do Balanço Patrimonial, afinal ela reflete uma das variações que acontecem no Patrimônio Líquido. Receitas, despesas e custos acontecem continuamente como reflexo de entradas e saídas de estoques, de caixa, de dívidas e de outros itens contabilizados no Balanço Patrimonial. Por exemplo, um Lucro Líquido apurado e não distribuído aos sócios continuará na empresa na forma de algum Ativo, que pode ser dinheiro em caixa, recebíveis aguardando liquidação ou algum estoque aguardando ser vendido. Quando esse lucro é distribuído, deixa de fazer parte da empresa, pois há uma redução no Ativo e também no Patrimônio Líquido (na conta Lucros Acumulados).

Vejamos, então, como se comportam as contas que formam os resultados da empresa.

## A Receita de Vendas

A Receita de Vendas computa as vendas decorrentes da atividade operacional da empresa.

Se, por exemplo, em determinado mês, uma pizzaria vender 500 pizzas a R$ 20,00 cada uma e também vender a moto utilizada para entregas por R$ 1.300,00, devido à terceirização desse serviço, a Receita de Vendas da empresa será de R$ 20,00 vezes 500, resultando em R$ 10.000,00. Note que a receita proveniente da venda da moto não integrará a Receita de Vendas, mas, sim, a Receita não operacional (Receita não operacional - Despesa não operacional = Resultado não operacional), pois a atividade-fim da pizzaria é vender pizzas, e não motos. Analogamente, as receitas oriundas de aplicações financeiras, de cobranças de juros de clientes que atrasam o pagamento ou da venda de Ativo fixo (Imobilizado) também não integrarão a Receita de Vendas, e sim a Receita não operacional.

A Receita de Vendas não pode ser confundida com o recebimento das vendas. Explicarei em detalhes adiante que a Receita de Vendas é necessariamente apurada no regime de competência e que a data do recebimento ou pagamento tem importância secundária. Do ponto de vista prático, no momento em que a empresa emite nota fiscal de venda, ela já gerou receita, mesmo que o cliente não tenha recebido a mercadoria e/ou mesmo que ela não tenha recebido o dinheiro da venda.

## O Custo

A conta da DRE que se segue às receitas diz respeito aos custos incorridos em razão da venda. De maneira a ter maior precisão na discussão do conceito de custos, faz-se necessário diferenciar os custos incorridos por empresas comerciais, industriais e de serviços.

*A) Custo em empresa comercial*

A empresa comercial é aquela que compra mercadorias para depois revendê-las. Em geral, ela não faz nenhum tipo de beneficiamento ou transformação na mercadoria comprada antes de vendê-la. Lojas de roupas em shopping centers, lojas de móveis e eletrodomésticos, bancas de jornais, supermercados, lojas de material de construção, lojas de material de escritório, óticas, postos de combustíveis são tipicamente empresas comerciais. Quando a empresa comercial revende a mercadoria, incorre no custo denominado Custo da Mercadoria Vendida (CMV).

Na empresa comercial, o CMV é formado pelo custo de aquisição da mercadoria, sem impostos, somado ao frete e ao seguro sobre as mercadorias compradas.

Desconsiderando impostos, imagine uma ótica que compre óculos escuros a R$ 3,00 a unidade e que o frete e o seguro sobre as compras sejam de R$ 0,10. A cada par de óculos vendidos, independentemente do preço, a loja incorre em custo de R$ 3,10.

Na empresa comercial, os salários do vendedor, do presidente da empresa, do diretor comercial, do diretor financeiro, da secretária constituem despesas, e não custos.

Para que esta incorra em custo a ser lançado na DRE, a mercadoria deve ser vendida. Isto é, ainda utilizando o exemplo da ótica, se ela comprar 200 pares de óculos em determinado mês e não vender nenhum, não poderá lançar nenhum valor em CMV. Se, no entanto, ela vender 100 pares de óculos, o custo a ser lançado na DRE será de 100 x R$ 3,10 = R$ 310,00.

Estudemos o caso de outra empresa comercial, a Cano Certo S.A., especializada na revenda de tubos, canos e outros materiais hidráulicos. Eis a Demonstração do Resultado do Exercício (DRE) da Cano Certo S.A.:

**DRE da Empresa Cano Certo S.A. no mês de dezembro de 2016**

| | |
|---|---:|
| Receita Líquida de Vendas | 100.000,00 |
| (–) Custo da Mercadoria Vendida (CMV) | (60.000,00) |
| (=) Lucro Bruto | 40.000,00 |
| (–) Despesas Operacionais | (10.000,00) |
| (=) Lucro Operacional | 30.000,00 |
| (±) Resultado Não Operacional | 0 |
| (=) Lucro Antes de Impostos sobre a Renda | 30.000,00 |
| (–) Impostos | (9.000,00) |
| (=) Lucro Líquido ou Resultado Líquido | 21.000,00 |

A empresa do exemplo apura o resultado (lucro ou prejuízo) mensalmente, indicando que a DRE será levantada mês a mês. Em dezembro de 2016, a Receita de Vendas foi de R$ 100.000,00. Esse montante não indica recebimento, e sim Receita de Vendas. Para simplificar o raciocínio, não considerei os tributos sobre vendas. Os R$ 100.000,00 evidenciam que o valor das vendas operacionais (conforme discutido, na Receita de Vendas não entram vendas de Ativo fixo ou receitas financeiras) em dezembro de 2016 foi de R$ 100.000,00, independentemente do tipo de venda. A venda à vista ou a prazo interfere no fluxo de caixa da empresa, e não na DRE.

O próximo item da DRE são os custos decorrentes da venda. Conforme indica a DRE, o Custo da Mercadoria Vendida (CMV) foi de R$ 60.000,00, ou seja, as mercadorias vendidas custaram para a companhia R$ 60.000,00.

Ao deduzir da receita de vendas o CMV, encontramos o lucro bruto. Perceba que este deverá ser capaz de cobrir as despesas da empresa. Não se esqueça de que, em um CMV de R$ 60.000,00 não estão incluídos os gastos com aluguel da loja, energia elétrica, conta de água, telefone, salário do vendedor, do segurança, do contador, IPTU, etc. Esses itens constituem despesas operacionais, e não custo. Lembre-se de que constitui custo para a empresa comercial o valor de aquisição, sem impostos, das mercadorias vendidas, somado ao frete e ao seguro sobre as compras.

Note, pela DRE da Cano Certo S.A., que, depois de deduzirmos as despesas do Lucro Bruto, obtemos R$ 30.000,00 de Lucro Antes dos Impostos sobre a Renda, ou LAIR. Sobre o LAIR houve incidência de 30% em impostos (alíquota adotada apenas a título de exemplo), resultando Lucro Líquido (LL) de R$ 21.000,00.

*B) Custo em empresa industrial*

A empresa industrial, por sua vez, compra matérias-primas e as transforma empregando maquinário e mão de obra direta, a fim de obter um produto acabado. Fábricas de alumínio, cimenteiras, fábricas de papel, montadoras de automóveis, marcenarias, fábricas de eletrodomésticos, panificadoras e refinarias de produtos químicos são exemplos de empresas industriais.

A empresa industrial incorre basicamente nos seguintes custos:

- **Matéria-prima (MP).** Em uma panificadora, o trigo é MP. Em uma fábrica de alumínio, a bauxita é a MP mais importante. Em uma marcenaria, a madeira é uma importante MP.
- **Mão de Obra Direta (MOD).** Na panificadora, o salário do padeiro é MOD. Em uma montadora de automóveis, o salário do soldador é MOD.
- **Custos Indiretos de Fabricação (CIF).** O aluguel do terreno em que está a fábrica é um CIF. O gasto com iluminação do lugar onde o pão é feito é um CIF. O salário do supervisor da fábrica é um CIF. O gasto

com a pintura da fábrica é um CIF. A depreciação do maquinário é um importante item que figura como CIF.

O resultado dado por MP + MOD + CIF é igual ao Custo do Produto Vendido (CPV).

**FIGURA 18** Custo do Produto Vendido (CPV)

| CUSTO DO PRODUTO VENDIDO | | |
|---|---|---|
| MP | MOD | CIF |

Outro aspecto a ser destacado é que, na Demonstração do Resultado do Exercício (DRE) da empresa industrial, o que conta é o Custo do Produto Vendido (CPV), e não o Custo do Produto Fabricado (CPF). Em outras palavras, imagine uma fábrica de mesas e cadeiras que, em agosto de 2016, tenha fabricado 30 cadeiras e 6 mesas, sendo o custo de fabricação de R$ 12,00 e R$ 30,00, respectivamente. Nesse caso, qual é o Custo do Produto Vendido (CPV) que constará na DRE de agosto de 2016?

Só com essas informações, não é possível responder à pergunta, pois, conforme vimos, na DRE da empresa industrial o que deve ser considerado é o CPV, e não o CPF. Note que o parágrafo dá informações apenas do que foi fabricado, e não do que foi vendido.

Fornecemos dados adicionais para que se possa responder à pergunta formulada: das 30 cadeiras feitas em agosto de 2016, 20 foram vendidas no mesmo mês. Das 6 mesas feitas em agosto de 2016, 5 também foram vendidas no mesmo mês.

Eis uma tabela que resume essas informações:

**FIGURA 19** Exemplo de Custo por Produto Vendido de cadeiras e mesas

| | Cadeiras | Mesas |
|---|---|---|
| Quantidade Fabricada em Agosto/2016 | 30 | 6 |
| Quantidade Vendida em Agosto/2016 | 20 | 5 |
| Custo Unitário de Fabricação | R$ 12,00 | R$ 30,00 |
| Custo do Produto Vendido | R$ 240,00 | R$ 150,00 |

Com as informações disponíveis, podemos dizer que o CPV em agosto de 2016 foi de R$ 390,00, obtido ao se somarem R$ 240,00 com R$ 150,00.

Supondo ainda que cada cadeira foi vendida por R$ 90,00 e cada mesa por R$ 400,00, podemos calcular a Receita de Vendas:

**FIGURA 20** Exemplo de Receita de Vendas de cadeiras e mesas

|  | Cadeiras | Mesas |
|---|---|---|
| Quantidade Vendida em Agosto/2016 | 20 | 5 |
| Preço Unitário de Venda | R$ 90,00 | R$ 400,00 |
| Receita de Vendas | R$ 1.800,00 | R$ 2.000,00 |

Logo, a Receita de Vendas de mesas e cadeiras foi de R$ 3.800,00. Com essas informações, podemos montar as primeiras linhas da DRE da empresa industrial:

**FIGURA 21** Exemplo de Lucro Bruto de cadeiras e mesas

| Receita de Vendas | R$ 3.800,00 |
|---|---|
| (–) Custo do Produto Vendido (CPV) | (R$ 390,00) |
| (=) Lucro Bruto | R$ 3.410,00 |

Mais uma vez, os R$ 3.410,00 de Lucro Bruto deverão ser capazes de cobrir as despesas com aluguel, energia elétrica, conta de água, telefone, salário do vendedor, do segurança, do contador, IPTU, etc. No entanto, uma ressalva deve ser feita: na empresa industrial, o aluguel e a depreciação podem ser custos ou despesas. O aluguel ou depreciação da fábrica é custo e fará parte do CIF. O aluguel ou depreciação da sede administrativa da empresa é despesa e constará abaixo do lucro bruto, em despesas operacionais.

Da mesma forma, também o gasto com energia elétrica pode ser custo ou despesa. O gasto com energia elétrica de fábrica é custo de fabricação. O gasto com energia elétrica da sede administrativa da empresa é despesa e constará abaixo do lucro bruto, em despesas operacionais.

O salário da faxineira que trabalha na fábrica é custo e fará parte do CIF. O salário da faxineira que trabalha no escritório administrativo é despesa e constará abaixo do lucro bruto, em despesas operacionais.

A depreciação dos equipamentos da fábrica é custo e fará parte do CIF. A depreciação dos Ativos que estão na sede da empresa é despesa e constará em despesas operacionais.

C) *Custo em empresa de serviços*

A empresa prestadora de serviços, por sua vez, incorre em custos relacionados à mão de obra empregada no serviço e a materiais empregados. A soma desses itens resulta no Custo do Serviço Prestado (CSP).

Um lava a jato, uma empresa de consultoria em informática, um escritório de contabilidade, uma empresa de treinamento e uma oficina mecânica são exemplos de prestadoras de serviços. Os profissionais liberais, como médicos, dentistas, advogados, arquitetos, engenheiros, nutricionistas, fisioterapeutas, fonoaudiólogos, são típicos prestadores de serviços.

## As Despesas Operacionais

A importância de saber segregar despesas de custos está em separar o resultado obtido com aquilo que se vende do resultado que é obtido com a estrutura montada para fazer as vendas acontecerem. Muitas vezes, uma margem bruta inviável para um pequeno comerciante torna-se interessante para um atacadista, que dilui suas grandes despesas em uma quantidade muito maior de mercadorias ou produtos vendidos.

Se a empresa for comercial, fazer a distinção entre custos e despesas é muito simples, pois o CMV é formado pelo custo de aquisição das mercadorias, sem impostos, somado ao frete e ao seguro sobre as mercadorias compradas.

Se a empresa for industrial, o processo de separação é um pouco mais complicado. Uma regra de ouro na distinção entre custo e despesa é a seguinte: o gasto no ambiente da fábrica é custo e o gasto fora do ambiente fabril é despesa. De qualquer forma, compõem o CPV a Matéria-prima (MP), a Mão de Obra Direta (MOD) e o Custo Indireto de Fabricação (CIF).

Se a empresa for prestadora de serviços, o CSP será constituído pela soma da mão de obra empregada no serviço com os gastos com os materiais utilizados.

Tecnicamente, despesas devem ser entendidas como gastos necessários para se auferir mais receitas. Se as despesas não fazem parte dos bens ou serviços vendidos, a única justificativa para que existam é criar as condições favoráveis para o aumento dos resultados da empresa.

Conforme já mencionado, o Lucro Bruto é deduzido dos custos, e logo abaixo dele estão listadas as despesas operacionais.

Assim, tem-se a seguinte disposição:

**Modelo Resumido de DRE**
    Receita Bruta
    (−) CMV ou CSP ou CPV
    (=) Lucro Bruto
    (−) Despesas Operacionais
    (=) Lucro Operacional

As Despesas Operacionais, por sua vez, são segregadas de acordo com sua natureza.

*1. Despesas Comerciais*

Enquadram-se como Despesas Comerciais ou Despesas de Vendas: as comissões sobre as vendas; salários e encargos devidos ao pessoal administrativo interno de vendas, vendedores, marketing, distribuição; gastos com promoção de vendas/*merchandising*; gastos estimados com a garantia dos produtos vendidos; e provisões para créditos de liquidação duvidosa (PCLD), entre outras despesas.

PCLD são valores reservados para cobrir uma média de perdas resultantes de inadimplência dos clientes. São lançadas como despesa na data em que acontece a venda e seu valor é, geralmente, um percentual da receita calculado com base na inadimplência histórica.

*2. Despesas Administrativas*

As despesas administrativas representam os gastos para a direção ou gestão da empresa e constituem-se em várias atividades gerais que beneficiam todas as fases do negócio, constando dessa categoria itens como: honorários da administração; salários e encargos do pessoal administrativo; despesas legais e judiciais; despesas com material de escritório; despesas com tributos e contribuições; e gastos com RH, tecnologia da informação e consultorias, entre outros.

## Receitas e Despesas Financeiras

O resultado financeiro da empresa é obtido da diferença entre receitas financeiras e despesas financeiras.

As Receitas Financeiras são oriundas de:

- descontos financeiros obtidos;
- juros recebidos ou auferidos;
- variações cambiais ou de outros indicadores que venham a reduzir Passivos ou aumentar recebíveis;
- receitas de títulos vinculados ao mercado aberto.

As Despesas Financeiras são oriundas de:

- juros pagos ou incorridos;
- descontos financeiros concedidos;
- variações cambiais ou de outros indicadores que venham a aumentar Passivos ou reduzir recebíveis;
- comissões e despesas bancárias.

## Resultado Não Operacional

O Resultado Não Operacional é obtido ao se deduzirem as Despesas Não Operacionais das Receitas Não Operacionais. Uma receita tipicamente não operacional é aquela oriunda da venda de um Ativo Imobilizado, como um automóvel, por exemplo. Imagine um automóvel adquirido há três anos por R$ 100.000,00. Passados três anos, seu valor contábil é de R$40.000,00. Se esse carro for vendido por R$ 50.000,00, os lançamentos na DRE serão:

**FIGURA 22** Exemplo de Resultado Não Operacional

| Receita Não Operacional | R$ 50.000,00 |
|---|---|
| (–) Despesa Não Operacional | (R$ 40.000,00) |
| (=) Resultado Não Operacional | R$ 10.000,00 |

Sobre esse Resultado Não Operacional, a empresa deve tributos tanto quanto deveria se o resultado fosse operacional.

## Lucro Antes dos Impostos (LAIR)

O Lucro Antes dos Impostos sobre a Renda, ou LAIR, é obtido ao se realizarem os seguintes cálculos:

> Lucro Operacional
> ($\pm$) Resultado Financeiro
> ($\pm$) Resultado Não Operacional
> (=) LAIR
> (−) Impostos sobre o lucro ou a renda
> (=) Lucro Líquido ou Resultado Líquido

Atualmente, existem no Brasil dois impostos que incidem sobre o lucro: o Imposto de Renda (IR) e a Contribuição Social Sobre o Lucro Líquido (CSLL).

## Lucro Líquido

O Lucro Líquido é a parte que cabe ao proprietário da empresa após todos os custos, despesas e impostos terem sido saldados.

Desconsiderando exigências estatutárias, que inviabilizam a distribuição aos sócios de 100% do Lucro Líquido do período, os proprietários da empresa poderão embolsá-lo na forma de dividendos, sem pagar um centavo em impostos. Segundo a legislação brasileira, o recebimento de dividendos pelos sócios constitui rendimento isento e não tributável, uma vez que já foi tributado na empresa.

## Uma DRE Completa
**Receita Bruta de Vendas**
  (−) Devoluções, Descontos e Abatimentos
  (−) Impostos sobre o Faturamento
(=) **Receita Líquida**
  (−) CMV ou CPV ou CSP
(=) **Lucro Bruto**
  (−) Despesas de Vendas
  (−) Despesas Administrativas
(=) **Lucro Operacional**
  (+) Receita Financeira
  (−) Despesa Financeira
  (+) Outras Receitas Não Operacionais
  (−) Outras Despesas Não Operacionais
(=) **Lucro Antes dos Impostos**
  (−) Impostos sobre o Lucro
(=) **Lucro Líquido**

## O conceito de LAJIR, uma abordagem gerencial

Lembre-se de que o Lucro Líquido é a parte que cabe ao proprietário da empresa após todos os custos, despesas e impostos terem sido contabilizados. Sem dúvida, é a melhor referência, para os sócios, a respeito da capacidade de seu negócio fazer dinheiro ou não. Se a empresa não conseguir gerar Lucro Líquido e não tiver Lucros Acumulados em exercícios anteriores, não haverá o que distribuir como dividendos.

Contudo, até chegar ao Lucro Líquido, a empresa arca com dois tipos de gastos que independem de suas qualidades operacionais:

- **o pagamento de juros**, que depende de seu nível de crédito e da capacidade de seus sócios de aportar capital;
- **o pagamento de tributos**, sobre o qual a gestão não tem nenhum poder de decisão. (Sem dúvida, a empresa pode realizar um planejamento tributário para pagar, dentro da lei, menos tributos.)

Uma informação bastante utilizada em análises gerenciais, visando identificar o resultado da empresa em termos operacionais (sem interferência do custo da dívida ou de tributos a pagar) é o Lucro Antes de Juros e Impostos sobre a Renda, conhecido pela sigla LAJIR ou sua equivalente em inglês EBIT (*Earnings Before Interest and Taxes*).

O LAJIR, que para fins de análise é a melhor medida do resultado da operação, é obtido simplesmente com uma reorganização dos gastos da empresa na DRE, da seguinte forma:

**Receita Bruta de Vendas**
    (−) Devoluções, Descontos e Abatimentos
    (−) Impostos sobre o Faturamento
(=) **Receita Líquida**
    (−) CMV ou CPV ou CSP
(=) **Lucro Bruto**
    (−) Despesas Operacionais (Comerciais, Administrativas e Gerais)
    (+/−) Resultado Não Operacional
(=) **LAJIR**
    (+/−) Resultado Financeiro
(=) **LAIR**
    (−) Impostos sobre o Lucro
(=) **Lucro Líquido**

Repare nos seguintes ajustes que foram feitos em relação ao formato legal da DRE:

- O LAJIR passa a caracterizar o que chamávamos até então de Lucro Operacional.
- O resultado financeiro deixa de fazer parte do chamado Lucro Operacional. Essa premissa é razoável, uma vez que as dívidas e suas respectivas despesas de juros não são fundamentais para a operação da empresa. Se os acionistas decidirem aportar suficiente volume de capital, as despesas financeiras são automaticamente extintas (o exemplo a seguir demonstrará isso).
- O Resultado Não Operacional passa a fazer parte do Lucro Operacional. Apesar do claro conflito semântico associado a essa mudança, do ponto de vista gerencial é razoável supor que a renovação de Ativos e as perdas ou lucros resultantes dessa renovação façam parte da estratégia operacional da empresa, mesmo que a venda desses Ativos não se inclua no objeto social da empresa.

- Duas empresas com operações idênticas em termos de investimentos, faturamento e gastos podem ter resultados distintos, dependendo do volume de recursos de terceiros e do custo da dívida que cada uma obtém. Repare nas situações a seguir:

**FIGURA 23** Exemplo de cálculo de LAJIR

|  | Situação A | Situação B |  |
|---|---|---|---|
|  | Ativo R$ 100 mil / PL R$ 100 mil | Ativo R$ 100 mil | Passivo R$ 50 mil i = 5% a.p. / PL R$ 50 mil |

| | Situação A | Situação B | |
|---|---|---|---|
| Receita | 200 mil | 200 mil | |
| – CPV | – 120 mil | – 120 mil | |
| Lucro Bruto | 80 mil | 80 mil | |
| – Despesas Comerc. | – 30 mil | – 30 mil | |
| – Despesas Adm. | – 40 mil | – 40 mil | |
| LAJIR | 10 mil | 10 mil | |
| – Desp. Financeiras | 0 | – 2,5 mil | Pagamento de Juros da Dívida |
| LAIR | 10 mil | 7,5 mil | |
| – Impostos | – 4 mil | – 3 mil | |
| Lucro Líquido | 6 mil | 4,5 mil | |

Perceba que, pelo fato de utilizarmos o LAJIR como referência do resultado operacional, foi possível analisar duas situações distintas para a empresa.

- Situação A – a totalidade do Ativo foi constituída apenas com capital próprio dos sócios. A estratégia de investimento do Ativo permitiu constituir uma empresa com faturamento anual de R$ 200.000,00, lucro operacional (LAJIR) de R$ 10.000,00 e lucro líquido de R$ 6.000,00.
- Situação B – foi adotada a mesma estratégia de investimento no Ativo, o que resultou no mesmo faturamento e lucro operacional. Porém os sócios optaram por investir apenas metade do capital necessário para a constituição do Ativo, captando os R$ 50.000,00 restantes a juros de 5% ao período.[1] Esse financiamento resultou em despesas financeiras

---

[1] A letra *i* é normalmente usada para designar os juros da operação. Vem do inglês *interest*.

de R$ 2.500,00 no período (5% de R$ 50.000,00), reduzindo o lucro tributável de R$ 10.000,00 para R$ 7.500,00.

O exemplo destaca claramente a importância do LAJIR, que é medir o resultado da operação da empresa independentemente da estratégia financeira adotada.

Pelas razões apontadas, o LAJIR é o indicador mais utilizado para medir o resultado operacional da empresa. Deve-se destacar que, em função dos ajustes citados, o LAJIR nunca será encontrado em demonstrações financeiras publicadas segundo as normas vigentes, por isso é utilizado somente para fins gerenciais.

Mesmo assim, seu uso não implica nenhum comprometimento fiscal ou legal da empresa, pois o lucro tributável (LAIR) deve ser o mesmo, independentemente da ordem das informações anteriores a ele.

### Técnicas de apuração do resultado da empresa

*Regime de Caixa* e *Regime de Competência* são técnicas de apuração do resultado nas empresas, em geral usadas simultaneamente em todas as companhias, porém adotadas em situações diferentes e para necessidades distintas.

Um dos equívocos mais recorrentes no uso da contabilidade para fins gerenciais é não diferenciar uma técnica da outra. Os exemplos a seguir ilustram os casos em que as técnicas são usadas.

**Caso 1:** Imagine uma empresa que realize venda no mês de maio, com a promessa do cliente de pagar em junho. A receita de vendas deve ser contabilizada em maio ou em junho? A receita de vendas é de maio, independentemente da data de pagamento, pois a venda ocorreu neste mês. Qual seria a justificativa da empresa para não ter mais a mercadoria vendida em seu estoque? No caso, o estoque foi substituído por recebíveis.

**Caso 2:** Imagine uma empresa que receba adiantamento do cliente em novembro, referente a um serviço que será realizado em dezembro. A receita de vendas é de novembro ou dezembro? Resposta: a receita de vendas é de dezembro, pois o que importa para a determinação do mês em que a receita de vendas será contabilizada é a data da prestação do serviço, e não a data do pagamento pelo serviço.

**Caso 3:** Imagine uma empresa que realize venda no mês de maio, à vista. A receita de vendas, sem dúvida, deve ser contabilizada em maio. Por coincidência, a receita de vendas ocorreu no mesmo mês do pagamento.

## Regime de Competência e gestão da empresa

Sobre o Regime de Competência, veja o que o Conselho Federal de Contabilidade tem a dizer: "As receitas e as despesas devem ser incluídas na apuração do resultado do período em que ocorrerem, sempre simultaneamente, independentemente de recebimento ou pagamento."

As demonstrações financeiras Balanço Patrimonial e Demonstração do Resultado do Exercício (DRE) que a contabilidade elabora sempre se baseiam no Regime de Competência. Por esse motivo, a receita de vendas é necessariamente apurada no Regime de Competência, tendo importância secundária a data do recebimento ou pagamento, que, obviamente, é de grande importância para a empresa, embora não seja relevante para a apuração do resultado.

Por esse motivo, uma demonstração financeira muito importante é a Demonstração do Fluxo de Caixa (DFC), que evidencia as entradas e saídas de caixa exatamente no mês em que elas ocorrem.

Para que o Regime de Competência seja respeitado, a receita de vendas deve ser registrada no mês em que houve o fato gerador.

## Fato gerador

No caso da venda da mercadoria, o fato gerador é a transferência da mercadoria do vendedor para o comprador. No caso da prestação do serviço, o fato gerador é a efetiva prestação do serviço. Em nenhuma hipótese o fato gerador é o evento do pagamento do serviço ou da compra da mercadoria.

Outra questão relevante é a data da emissão da nota fiscal. A nota fiscal de venda é emitida no momento em que a mercadoria deixa as instalações do vendedor. Esse é um excelente indicativo da data em que a receita de vendas deve ser contabilizada. Se a nota for de agosto, a receita de vendas também será, independentemente de a venda já ter sido paga ou ainda não.

Os conceitos de recebimento e de receita também são facilmente confundidos. É comum a interpretação de que a receita ocorre quando recebemos – mas isso não é fato. A receita de vendas é contabilizada quando a nota fiscal é emitida.

## Fluxo de Caixa, o ar que as empresas respiram

Discutimos as diferenças entre Regime de Caixa e Regime de Competência. Para fins tributários e de documentação dos fluxos de entrada e saída de recursos e insumos na empresa, utiliza-se o Regime de Competência. Já para analisar as consequências de um investimento feito, o regime utilizado é o de Caixa.

Para os investidores e também para credores que financiam a atividade da empresa, o que mostra se a empresa honrará ou não suas expectativas é a capacidade de gerar Caixa. Para avaliar isso, utiliza-se a Demonstração do Fluxo de Caixa, que é baseada na DRE e recebe alguns ajustes para refletir a efetiva movimentação de caixa na empresa em favor dos sócios. Tais ajustes são os seguintes:

**FIGURA 24** Demonstração do Fluxo de Caixa

LUCRO LÍQUIDO
+ Depreciação
− Investimentos
− Δ Capital de giro
+ Novas Dívidas
− Amortização das Dívidas

**FLUXO DE CAIXA**

- O primeiro elemento do fluxo de caixa é o Lucro Líquido obtido através da DRE.
- Ao Lucro Líquido, somamos as despesas de depreciação que eventualmente apareceram na DRE. Como a depreciação não afeta o Caixa, mas apenas reduz o Ativo Imobilizado para justificar o consumo de parte das receitas, seu efeito deve ser desconsiderado, aumentando o valor que havia sido apurado como lucro.
- Se foram feitos Investimentos pela empresa no período, esses valores devem ser subtraídos do Fluxo de Caixa, afinal representam um consumo de recursos dos sócios. Os investimentos não entram na DRE porque não afetam imediatamente os resultados (são apenas uma troca de Caixa por outro Ativo, como equipamentos ou reformas).
- Ajustes ocorridos no Capital de Giro também devem ser considerados. Uma redução de Ativos Circulantes como estoques e recebíveis significa que recursos saíram da empresa e não voltaram, portanto ocorreu uma saída de Caixa. Já o aumento de Contas a pagar sinaliza

que recursos entraram na empresa e não saíram, portanto houve um aumento de Caixa.
- Novas dívidas contraídas significam uma injeção de Caixa na empresa, enquanto o pagamento (amortização) dessas dívidas significa que houve saída de Caixa.

Com esses ajustes, temos o Fluxo de Caixa, que será utilizado principalmente para avaliar a empresa como um investimento.

## Como obter as respostas

A esta altura, creio já tê-lo convencido da importância e da qualidade das informações que podem ser extraídas dos relatórios financeiros de sua empresa.

O primeiro passo para contar com bons controles financeiros, portanto, é garantir que você tenha acesso aos documentos contábeis básicos (Balanço Patrimonial, DRE e Demonstração do Fluxo de Caixa). Empresas de capital aberto (Sociedades Anônimas) e limitadas são obrigadas, por lei, a manter os registros desses documentos. Microempresas individuais, negócios informais e sistemas de vendas diretas e multinível não exigem obrigatoriamente esses documentos, mas sistemas simples de controle financeiro de empresas permitem obtê-los sem custos significativos.

Não basta, porém, manter em dia o arquivo dos documentos contábeis. Para tomar decisões gerenciais, é preciso que seus números sejam confiáveis. Para isso, há dois caminhos:

- Estudar em profundidade os diversos conteúdos de finanças dos negócios (o que deve lhe custar muitas horas e um bom dinheiro).
- Estudar as finanças gerenciais, para entender os aspectos-chave que lhe interessam, e reunir-se com um contador para avaliar maneiras de garantir que as informações sobre os aspectos-chave estejam a seu alcance quando julgar oportuno.

Com a ajuda de um contador, os documentos serão confiáveis à medida que você exigir detalhamento e precisão na informação, que não serão frequentes. Se a atividade de seu negócio envolve altos e baixos e inconstância nas vendas, pode ser interessante estudar com maior frequência as estratégias e suas consequências. Nesse caso, aplicativos ou softwares de controle financeiro serão grandes aliados em seu gerenciamento.

*Sou eu quem faço o controle das finanças pessoais de minha mãe. Apesar de não ser uma empresa, esse controle é feito com o rigor de um controle empresarial, afinal minha mãe é aposentada e vive dos rendimentos de seus Ativos – basicamente, imóveis e fundos de investimento.*

*É preciso assumir certo grau de risco para disponibilizar a ela bons ganhos e melhor condição de vida, ao mesmo tempo que não posso permitir que os ganhos oscilem significativamente, pois isso pode inviabilizar o pagamento de compromissos que ela assumiu.*

*Como minha mãe confia em minha administração, não se importa em entender das contas que faço, do desempenho dos fundos de investimento e das senhas de acesso ao banco. Mesmo assim, para que minha mãe se sinta segura e ciente da evolução de sua condição financeira, todos os meses envio a ela uma página contendo:*

- *A rentabilidade média dos investimentos totais.*
- *A inflação do mês.*
- *O valor total do patrimônio pessoal dela e uma breve análise (três linhas escritas) justificando se o patrimônio pôde ser corrigido pela inflação.*
- *O total de gastos que ela teve no mês, sem detalhamentos (não há grandes mudanças de um mês para outro).*
- *O seguinte cálculo: Rendimentos (−) Correção Inflacionária do Patrimônio (−) Gastos. A diferença é o que eu recomendo que seja gasto com itens fora da rotina, como passeios e presentes.*

*O relatório é suficiente para tranquilizá-la sobre sua condição financeira e pode ser útil para uma eventual negociação de crédito. Enfim, atende ao objetivo sem exigir muito trabalho.*

Somente a partir de demonstrações contábeis confiáveis é que faz sentido elaborar os chamados Relatórios Gerenciais. Estes incluirão os indicadores financeiros mais importantes e o detalhamento das informações mais relevantes e que mereçam ser compartilhadas com todos.

É justamente a informação gerencial que pode ser decisiva na condução dos negócios que passamos a estudar nos próximos capítulos. Ao final, reunirei as informações para exemplificar e sugerir um modelo de controle financeiro para seu negócio.

# 6
# Fazendo a roda girar

Uma vez compreendido o conceito de *Ativo Circulante*, é possível detalhar a discussão e descrever um conceito relacionado a ele, de vital importância para as empresas, que é o *Capital de Giro*.

## Capital de Giro e Ativo Circulante

Capital de Giro são os recursos que movimentam a atividade de uma empresa. Para que você possa atender prontamente a seus clientes, sua empresa precisa trabalhar com estoques. O estoque é um dinheiro congelado no tempo, um mal necessário. A empresa adquire a mercadoria, em muitos casos paga o fornecedor, e a mercadoria continua na prateleira até ser vendida.

Faz parte da administração do negócio reduzir ao máximo o tempo em que a mercadoria ficará parada na prateleira até ser vendida. Enquanto isso, deve existir uma fonte que financie o recurso que fica momentaneamente parado na forma de estoque. Esse é um dos itens que constitui o Capital de Giro. Logo, quanto maior o estoque de uma empresa, maior é a exigência de Capital de Giro.

Não apenas os estoques exigem investimentos em Capital de Giro. Os recebíveis também se constituem em importante item desse tipo de capital. Novamente, o recebível é um mal necessário, mas o conceito não vale para empresas que querem ganhar mais dinheiro cobrando juros no parcelamento do que na venda em si. Para esse tipo de negócio, o parcelamento não é um mal necessário, e sim a atividade-fim. Sem a venda a crédito, o volume de vendas cai.

O Caixa também é um item do Capital de Giro. A empresa necessita de um Caixa mínimo necessário para que continue funcionando, visando arcar com os gastos cotidianos.

**FIGURA 25** O Ativo Circulante de uma empresa

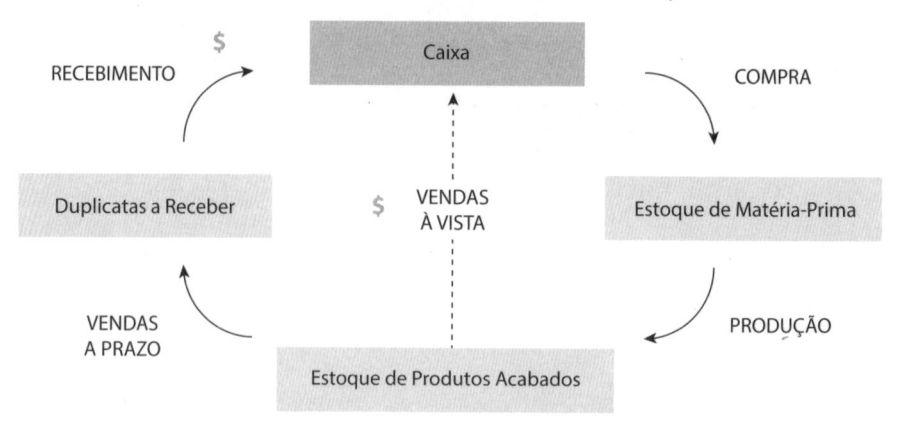

*[Diagrama do ciclo do Ativo Circulante: Caixa → (COMPRA) → Estoque de Matéria-Prima → (PRODUÇÃO) → Estoque de Produtos Acabados → (VENDAS A PRAZO) → Duplicatas a Receber → (RECEBIMENTO) → Caixa; com VENDAS À VISTA ligando Estoque de Produtos Acabados ao Caixa]*

Todos os itens citados fazem parte do chamado Ativo Circulante e, dessa forma, também o fará o Capital de Giro. Em outras palavras, podemos dizer que *os Recursos no Ativo Circulante são o Capital de Giro.*

Uma empresa que trabalhe com grande Ativo Circulante, como estoques, recebíveis e caixa mínimo, precisa encontrar formas de financiar esses investimentos. O seu Plano de Negócios deve, necessariamente, prever a origem do financiamento do Capital de Giro.

Algumas hipóteses a considerar são:

- **Os fornecedores financiarão o Capital de Giro.** Como? Concedendo prazo para o pagamento das compras. Essa situação é conseguida por aqueles empreendimentos em que o comprador tem maior poder de barganha com seu fornecedor.
- **Empréstimos bancários vão financiar o Capital de Giro.** Como? Via desconto de duplicatas, conta garantida ou outra modalidade de crédito que bancos concedem às empresas. Esse é o caso mais comum de ser encontrado: a empresa tem de recorrer a bancos para financiar seu Capital de Giro, comprometendo significativamente sua margem de lucro. Esse é o calcanhar de aquiles de muitas empresas de porte pequeno e médio.
- **Dinheiro do dono.** Como? A empresa deverá estar suficientemente capitalizada com recursos próprios, para que não dependa de terceiros para financiar o Capital de Giro. Essa, sem dúvida, é a situação mais confortável e, simultaneamente, a mais rara de ser encontrada.

## O investimento em Capital de Giro

É muito comum o empreendedor com pouca instrução ignorar o investimento em Capital de Giro. Ele costuma se lembrar de quanto precisa investir para adquirir máquinas, reformar o imóvel, comprar móveis e utensílios, isto é, costuma se lembrar de computar os itens palpáveis.

Acontece que o investimento em Capital de Giro é um conceito abstrato, que foge à percepção daqueles que tiveram ou não um negócio e nunca estudaram finanças. Dependendo do empreendimento, o investimento em Capital de Giro chega a ser maior que o próprio investimento em Ativo Imobilizado.

> Manuel, imigrante alemão do interior catarinense, decidiu montar uma padaria. Tinha um bom capital reservado para isso. Começou por levantar algumas questões essenciais como o ponto em que seria instalada a padaria, mercado-alvo a ser atendido, área necessária para a produção de pães e outras guloseimas, área para a exposição dos produtos, área para a circulação dos clientes, número de caixas registradoras, regularização na prefeitura, número de funcionários necessários, preço a ser cobrado no pãozinho e no leite, investimento mínimo necessário, etc.
>
> Para entender mais detalhadamente do investimento mínimo requerido, Manuel dedicou algumas semanas de pesquisa a entender quanto e qual maquinário deveria ser adquirido. Descobriu que o Sebrae fornece esse tipo de informação para os mais diversos tipos de negócio: agência de viagem, agência de turismo, bar e borracharia, entre outros.
>
> Para o caso particular da padaria, Manuel foi informado pelo Sebrae que seriam necessários os seguintes itens: fornos, amassadeiras, cilindros médios (para sovar a massa), batedeiras, modeladoras, divisoras de massas, utensílios para confeitaria, miniforno, assadeiras, minimodeladora, balanças, mesas com cadeiras, balcões, prateleiras, mesas de preparo, móveis, utensílios e equipamentos da administração. Isso consumiria boa parte das reservas de Manuel.
>
> Havia ainda o investimento na reforma do imóvel. Inicialmente, a ideia era alugá-lo, por isso Manuel não considerou o investimento na compra dele.
>
> A essa altura, a lista de investimentos a fazer já estava razoavelmente detalhada. Faltaria computar o investimento em mais alguma coisa?

Não é possível afirmar algo como "o Capital de Giro representa X% do total dos Ativos de uma empresa". Esse valor vai depender muito do tipo de negócio que se deseja estabelecer. Basicamente, o Capital de Giro depende do volume de vendas e dos prazos obtidos/concedidos a fornecedores, clientes e giro do estoque. Há negócios em que o fornecedor concede prazo para que o empreendedor possa pagar suas compras. Quanto menor for o prazo que o fornecedor conceder, mais difícil é a gestão do Capital de Giro.

Analogamente, quanto menor o prazo que você conceder a seus clientes, mais fácil fica administrar o Capital de Giro, pois suas receitas serão transformadas em dinheiro mais rapidamente. No entanto, quanto menos prazo você conceder a seus clientes, mais difícil será vender suas mercadorias.

Outro aspecto fundamental é o tempo que a mercadoria demora para ser vendida. Quanto mais rápido o estoque girar, menos problemas de Capital de Giro você terá. Além de todos os aspectos aqui citados, o volume de vendas que a empresa estiver operando desempenha um papel central no dimensionamento do Capital de Giro.

## Capital Circulante Líquido (CCL)

A diferença entre Ativo e Passivo Circulantes constitui o chamado Capital Circulante Líquido (CCL) ou Capital de Giro Líquido (CGL). Se o Ativo Circulante da empresa é o Capital de Giro, nada mais natural que designar a diferença entre Ativo Circulante e Passivo Circulante de Capital de Giro Líquido; afinal, o Passivo Circulante financia parte das necessidades de Capital de Giro da empresa.

Uma interpretação do CCL é a seguinte: *quanto do Ativo Circulante da empresa é financiado pelo Passivo Circulante?* De maneira geral, quanto maior o CCL, mais confortável é a situação da empresa no que tange ao Capital de Giro e à sua liquidez.

Uma empresa que possua Ativo Circulante (AC) = R$ 800,00 e Passivo Circulante (PC) = R$ 600,00 ostenta um CCL igual a R$ 200,00, indicando que ela apresenta uma folga financeira de curto prazo de R$ 200,00. Isto é, ela tem Ativos de curto prazo de R$ 800,00, enquanto seu Passivo de curto prazo é de R$ 600,00. Essa diferença positiva mostra, ao menos em princípio, que a empresa seria capaz de honrar integralmente seus compromissos de curto prazo e ainda sobrariam R$ 200,00.

Não obstante, essa pretensa situação equilibrada pode ser falsa, uma vez que CCL > 0 não fornece garantias de que a folga financeira efetivamente exista.

**FIGURA 26** O Capital Circulante Líquido (CCL) ou Capital de Giro Líquido (CGL)

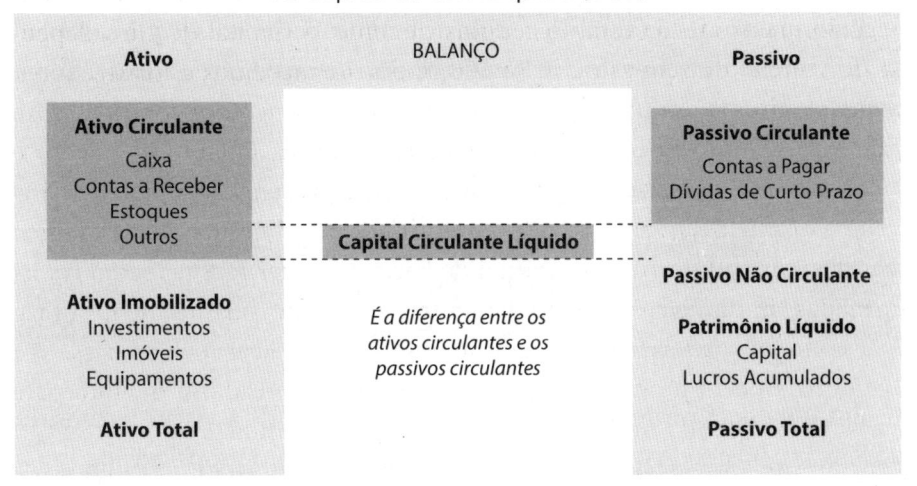

| Ativo | BALANÇO | Passivo |
|---|---|---|
| **Ativo Circulante**<br>Caixa<br>Contas a Receber<br>Estoques<br>Outros | **Capital Circulante Líquido**<br>É a diferença entre os ativos circulantes e os passivos circulantes | **Passivo Circulante**<br>Contas a Pagar<br>Dívidas de Curto Prazo |
| **Ativo Imobilizado**<br>Investimentos<br>Imóveis<br>Equipamentos | | **Passivo Não Circulante**<br>**Patrimônio Líquido**<br>Capital<br>Lucros Acumulados |
| **Ativo Total** | | **Passivo Total** |

Basta considerar que os R$ 800,00 de AC sejam constituídos exclusivamente de estoques e recebíveis. Nesse contexto, se a empresa necessitar pagar de imediato R$ 5,00 por uma despesa qualquer, ela não terá caixa para fazê-lo. É claro que ela pode vender seus estoques para gerar caixa e pagar a conta de R$ 5,00. Sabemos, contudo, que não é fácil nem rápido transformar estoque em dinheiro, a menos que se "queimem" os estoques vendendo-os a preços baixos, algo que vai gerar dois efeitos: geração de caixa e prejuízo. A alternativa para pagar os R$ 5,00 seria vender os recebíveis. Mais uma vez, a venda do recebível sempre ocorre mediante deságio, fato que vai, novamente, comprometer a margem de lucro da empresa.

Em tese, quanto maior for o CCL, maior deverá ser a liquidez – ou capacidade de pagamento – da empresa. Contudo, conforme visto, uma empresa com CCL elevado pode enfrentar problemas de liquidez caso haja descasamento entre os prazos de exigibilidade dos Passivos Circulantes e o da realização dos Ativos Circulantes. Vê-se, portanto, que mesmo uma empresa com CCL elevado pode ter problemas de liquidez e problemas de Capital de Giro.

Paradoxalmente, mesmo uma empresa com CCL negativo pode, em algumas situações muito raras, ter uma boa situação de liquidez, como ocorre em muitos supermercados que compram a prazo e vendem à vista. Um supermercado, por causa de seu grande poder de barganha com os fornecedores, consegue pagar suas compras com prazos médios que chegam a quatro meses. Como o supermercado gira seus estoques rapidamente e vende boa parte de suas mercadorias à vista, ele consegue ficar com um Passivo Circulante maior que o Ativo Circulante.

Entenda isso pelo exemplo a seguir, de um supermercado que compra a prazo mercadorias no valor de R$ 100,00 em uma data inicial (t=0). Assim, temos que:

**FIGURA 27** Primeira compra de mercadorias pelo supermercado (t=0)

| Ativo Circulante | | Passivo Circulante | |
|---|---|---|---|
| Estoques | R$ 100,00 | Fornecedores | R$ 100,00 |
| **Total do AC** | **R$ 100,00** | **Total do PC** | **R$ 100,00** |

Em uma data posterior t=1, o supermercado vende à vista mercadorias por R$ 150,00 e todo o caixa gerado é distribuído a seu proprietário.

**FIGURA 28** Primeira venda de mercadorias à vista pelo supermercado (t=1)

| Ativo Circulante | | Passivo Circulante | |
|---|---|---|---|
| Estoques | R$ 0,00 | Fornecedores | R$ 100,00 |
| **Total do AC** | **R$ 0,00** | **Total do PC** | **R$ 100,00** |

O Ativo Circulante passa a ser de R$ 0,00 e o Passivo Circulante de R$ 100,00, resultando em CCL = (R$ 100,00). Nesse caso, o CCL negativo é algo bom, indicando, pura e simplesmente, que são os fornecedores que estão "carregando o piano", isto é, são eles que financiam o funcionamento da empresa.

Em t=2, o supermercado compra novamente a prazo mercadorias no valor de R$ 100,00.

**FIGURA 29** Segunda compra de mercadorias pelo supermercado (t=2)

| Ativo Circulante | | Passivo Circulante | |
|---|---|---|---|
| Estoques | R$ 100,00 | Fornecedores | R$ 200,00 |
| **Total do AC** | **R$ 100,00** | **Total do PC** | **R$ 200,00** |

Note que a empresa acaba de fazer sua segunda compra e nem sequer pagou a primeira.

Em t=3, o supermercado vende à vista mercadorias por R$ 150,00 e todo o caixa gerado é usado para comprar Ativo Imobilizado.

**FIGURA 30** Segunda venda de mercadorias à vista pelo supermercado (t=3)

| Ativo Circulante | | Passivo Circulante | |
|---|---|---|---|
| Estoques | R$ 0 | Fornecedores | R$ 200,00 |
| **Total do AC** | **R$ 0** | **Total do PC** | **R$ 200,00** |

Veja que situação invejável: a empresa em questão já fez duas compras, já vendeu as mercadorias referentes às duas e nem sequer pagou a primeira, obtendo CCL = R$ 200,00.

Em t=4, o supermercado compra novamente a prazo mercadorias no valor de R$ 100,00.

**FIGURA 31** Terceira compra de mercadorias pelo supermercado (t=4)

| Ativo Circulante | | Passivo Circulante | |
|---|---|---|---|
| Estoques | R$ 100,00 | Fornecedores | R$ 200,00 |
| **Total do AC** | **R$ 100,00** | **Total do PC** | **R$ 200,00** |

Em t=5, o supermercado vende à vista mercadorias por R$ 150,00 e todo o caixa gerado é distribuído a seu proprietário.

**FIGURA 32** Terceira venda de mercadorias à vista pelo supermercado (t=5)

| Ativo Circulante | | Passivo Circulante | |
|---|---|---|---|
| Estoques | R$ 0 | Fornecedores | R$ 300,00 |
| **Total do AC** | **R$ 0** | **Total do PC** | **R$ 300,00** |

Apesar de o CCL da empresa ser negativo, o supermercado está em uma situação bastante confortável no que diz respeito à gestão do Capital de Giro. Essa é, sem dúvida, a condição ideal! O supermercado consegue realizar várias vendas antes mesmo de fazer o pagamento da primeira compra ao fornecedor. Isso apenas acontece pelo elevado poder de barganha que o setor supermercadista de grande porte tem em relação a seus fornecedores.

Quando chegar o momento de o supermercado ter de pagar ao fornecedor pela primeira compra, no lugar de distribuir R$ 150,00 ao proprietário, o supermercado paga R$ 50,00, pois R$ 100,00 serão utilizados para efetuar o pagamento ao fornecedor de uma compra feita há muito tempo.

Nessas condições, o Capital de Giro não é uma questão que requer que o proprietário injete dinheiro na empresa. Pelo contrário, os fornecedores da empresa financiam quase integralmente as necessidades de Capital de Giro da firma.

*Mas, atenção: o mais comum e saudável é ter CCL positivo!*

O CCL negativo é algo fora do normal para a maioria das empresas e, quase sempre, indesejado. No caso específico do supermercado, o CCL<0 é desejado desde que o maior item do Passivo Circulante seja o de fornecedores. Cuidado deve ser tomado para verificar se a conta Fornecedores é muito alta em razão de excelente negociação ou pela inadimplência da empresa com seus fornecedores.

De maneira geral, se o CCL de uma empresa for menor que zero, é provável que o seja por ter grandes dívidas bancárias. Esse é o pior cenário: CCL negativo não porque o item Fornecedores é alto, e sim pelo fato de a empresa acumular dívidas bancárias com juros sufocantes.

Em resumo, se o CCL for negativo, verifique:

- O que faz o Passivo Circulante ser maior que o Ativo Circulante: a conta Fornecedores ou a conta Empréstimos e Financiamentos?
- Se o Passivo Circulante for grande por motivo de elevado valor registrado em Fornecedores, isso é positivo, desde que a empresa não esteja inadimplente. Essa explicação para CCL negativo é rara.
- Se o Passivo Circulante for grande por motivo de elevados empréstimos e financiamentos, isso é muito ruim. Essa explicação para CCL negativo é a mais comum.

## O Ciclo Operacional e o Ciclo de Caixa

Qualquer empresa compra suas mercadorias ou insumos com um prazo para pagá-las. Essas mercadorias demoram um tempo para serem vendidas. Por outro lado, os clientes pagam à empresa também com um prazo. Portanto, da compra inicial de mercadorias ou insumos até o recebimento final das vendas há um prazo, chamado de *Ciclo Operacional*, que é definido como o intervalo de tempo desde a compra da mercadoria até o efetivo recebimento da venda. Como a empresa paga aos seus fornecedores antes de receber de seus clientes, esse prazo é chamado de *Ciclo de Caixa* ou *Ciclo Financeiro*.

De maneira a deixar mais claro, observe a Figura 33.

**FIGURA 33** O Ciclo de Caixa

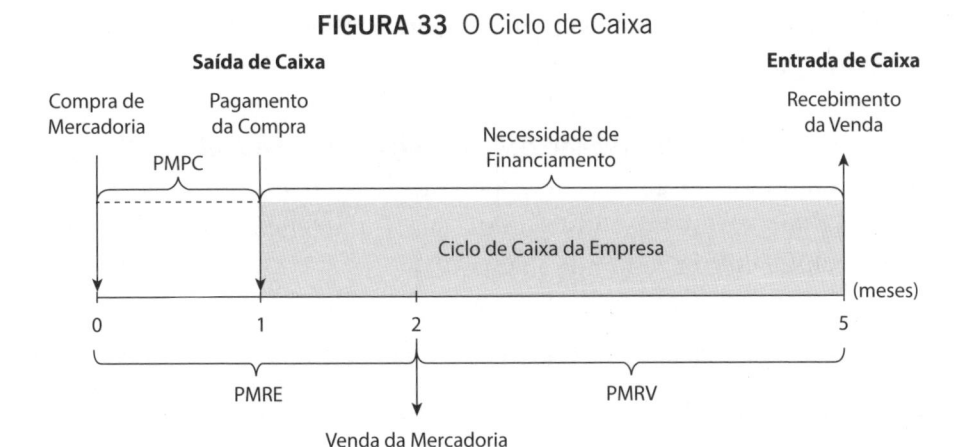

[Figura: Linha do tempo mostrando Saída de Caixa (Compra de Mercadoria em 0, Pagamento da Compra em 1) e Entrada de Caixa (Recebimento da Venda em 5). PMPC de 0 a 1. PMRE de 0 a 2 (Venda da Mercadoria). PMRV de 2 a 5. Ciclo de Caixa da Empresa / Necessidade de Financiamento de 1 a 5 (meses).]

- Prazo Médio de Pagamento das Compras (PMPC): da compra da mercadoria até seu pagamento.
- Prazo Médio de Rotação de Estoque (PMRE): da compra da mercadoria até a sua venda.
- Prazo Médio de Recebimento de Vendas (PMRV): da venda da mercadoria até seu recebimento.

O valor do Ciclo de Caixa pode ser obtido da seguinte maneira:

$$\text{Ciclo de Caixa} = PMRE + PMRV - PMPC$$

Já o Ciclo Operacional é calculado pela seguinte fórmula:

$$\text{Ciclo Operacional} = PMRE + PMRV$$

Para entender esse importante conceito, decidi explorar três exemplos de maneira a ilustrar os aspectos mais importantes na gestão do Capital de Giro.

*Exemplo 1: Loja de calçados*

Uma loja de calçados compra suas mercadorias com prazo de um mês para pagá-las. Essas mercadorias demoram dois meses para serem vendidas. Em geral, os clientes pagam à loja em três meses. Da compra da mercadoria até o recebimento da venda há um prazo de cinco meses. Como o pagamento ao fornecedor ocorre em um mês, a empresa fica descoberta durante quatro meses, ou seja, a empresa paga ao fornecedor quatro meses antes de receber de seus clientes.

O valor médio da compra é de R$ 15.000,00. As mercadorias serão vendidas por R$ 60.000,00. Havendo disponibilidade de caixa, todo o lucro gerado será utilizado para pagar as despesas da loja e o que sobrar vai para o bolso do dono. Com essas informações, qual é a necessidade de Capital de Giro? A tabela a seguir responde a essa questão.

**FIGURA 34** Resumo das transações – Loja de calçados (6 meses)

| Mês | Compra R$ | Paga R$ | Vende R$ | Recebe R$ | Retirada R$ | Saldo Banco R$ |
|---|---|---|---|---|---|---|
| 0 | 15.000,00 | – | – | – | – | – |
| 1 | – | 15.000,00 | – | – | – | (15.000,00) |
| 2 | 15.000,00 | – | 60.000,00 | – | – | (15.000,00) |
| 3 | – | 15.000,00 | – | – | – | (30.000,00) |
| 4 | 15.000,00 | – | 60.000,00 | – | – | (30.000,00) |
| 5 | – | 15.000,00 | – | 60.000,00 | 45.000,00 | (30.000,00) |
| 6 | 15.000,00 | – | 60.000,00 | – | – | (30.000,00) |
| 7 | – | 15.000,00 | – | 60.000,00 | 45.000,00 | (30.000,00) |
| 8 | 15.000,00 | – | 60.000,00 | – | – | (30.000,00) |
| 9 | – | 15.000,00 | – | 60.000,00 | 45.000,00 | (30.000,00) |
| 10 | 15.000,00 | – | 60.000,00 | – | – | (30.000,00) |
| 11 | – | 15.000,00 | – | 60.000,00 | 45.000,00 | (30.000,00) |
| 12 | 15.000,00 | – | 60.000,00 | – | – | (30.000,00) |
| 13 | – | 15.000,00 | – | 60.000,00 | 45.000,00 | (30.000,00) |
| 14 | 15.000,00 | – | 60.000,00 | – | – | (30.000,00) |
| 15 | – | 15.000,00 | – | 60.000,00 | 45.000,00 | (30.000,00) |
| 16 | 15.000,00 | – | 60.000,00 | – | – | (30.000,00) |
| 17 | – | 15.000,00 | – | 60.000,00 | 45.000,00 | (30.000,00) |
| 18 | 15.000,00 | – | 60.000,00 | – | – | (30.000,00) |
| 19 | – | 15.000,00 | – | 60.000,00 | 45.000,00 | (30.000,00) |

Note que a necessidade de Capital de Giro é de R$ 30.000,00. No caso em questão, quem está financiando o Capital de Giro da empresa é o banco.

Assim, uma parte do lucro bruto gerado pelas vendas será utilizada para pagar juros.

Alternativamente, essa loja de calçados poderia ser financiada com dinheiro do dono, supondo que ele disponha de recursos. Para não depender do banco, seria uma opção capitalizar a empresa em R$ 30.000,00, de modo a não depender da instituição financeira. Isso poderia ser feito com um aporte inicial de recursos ou com a postergação do início de suas retiradas.

*Repare que quanto maior é o prazo de pagamento oferecido aos clientes, maior será o investimento a ser feito na empresa.*

### Exemplo 2: Vendedora de cosméticos

Imagine uma vendedora de cosméticos que compre mercadorias do fabricante e as revenda para suas clientes. Considere também que o fabricante concede prazo de 21 dias corridos para a vendedora pagar suas contas. O que acontece com essa vendedora se ela comprar R$ 1.000,00 em mercadorias e, desafortunadamente, não conseguir vendê-las em 21 dias?

Se essa for a situação da vendedora, caberá a ela planejar o montante de recursos próprios para poder pagar o boleto do fornecedor e/ou negociar com o banco um crédito, de modo a ser capaz de honrar seu compromisso com o fornecedor.

Essa é uma típica situação que envolve o gerenciamento do Capital de Giro. Perceba também que, mesmo que as mercadorias sejam vendidas por R$ 1.500,00, apurando-se lucro de R$ 500,00, a empresa continuará a ter um problema de Capital de Giro a ser resolvido, pois os recebimentos das vendas estão descasados com os pagamentos das compras. (Admitimos que todo o lucro que ela tiver será consumido nas despesas para alimentar-se, pagar telefone, transporte, vestuário, etc.)

Considere ainda que a vendedora negocie as mercadorias com suas clientes, em geral, no 28º dia. Isso é a mesma coisa que dizer que o estoque da vendedora gira em 28 dias. Suponha ainda que, uma vez vendida a mercadoria, a vendedora receba cheques vencendo em 14 dias. Depreende-se que o prazo médio de recebimento de vendas é de 14 dias.

Note o problema que aflige essa vendedora: ela vendeu as mercadorias uma semana após ter vencido o boleto da empresa fabricante de cosméticos. E, como se isso ainda não fosse suficiente, as clientes pagaram com cheque a ser descontado, em média, em duas semanas.

O Capital de Giro requerido por uma empresa está diretamente relacionado com seu volume de vendas e a política de prazos. Por política de prazos, entenda:

- Prazo Médio de Pagamento das Compras (PMPC) – no exemplo da vendedora de cosméticos, o PMPC é de 21 dias corridos.
- Prazo Médio de Rotação de Estoque (PMRE) – note que a vendedora demorou 28 dias, desde a compra, para vender as mercadorias.
- Prazo Médio de Recebimento de Vendas (PMRV) – no exemplo em questão, as clientes da vendedora passaram cheques para duas semanas, indicando um PMRV de 14 dias corridos.

Esquematicamente, os eventos relacionados à atividade operacional dessa pequena empresária são os seguintes:

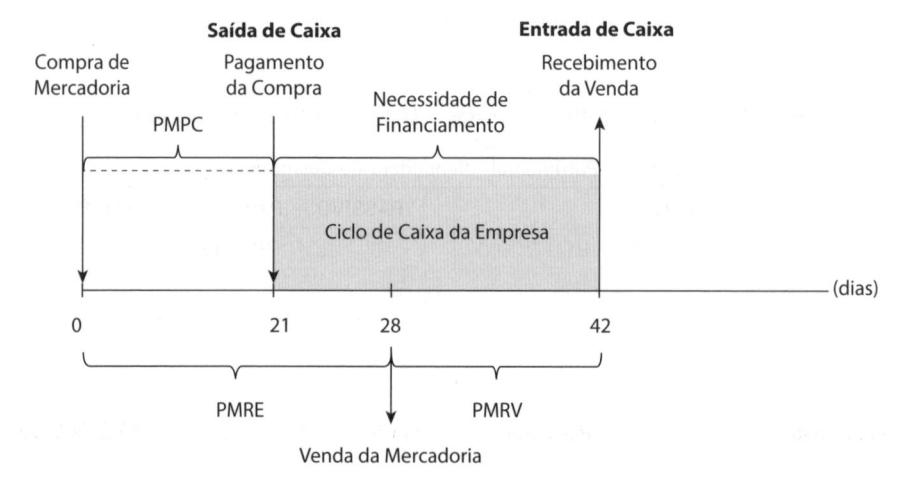

**FIGURA 35** Ciclo de Caixa da vendedora de cosméticos

A leitura que fazemos desse esquema é:

- No instante zero, a vendedora compra mercadorias que deverão ser pagas em 21 dias corridos.
- A venda ocorre 28 dias corridos após a aquisição das mercadorias. Com essas informações, já percebemos que o problema de Capital de Giro está presente: mesmo que a vendedora receba à vista suas

vendas, ela ainda teria de pagar o boleto do fornecedor antes mesmo de revender.
- Além disso, a vendedora vende no dia 28 e apenas receberá o dinheiro no dia 42.
- Note, pelo esquema, que o pagamento da compra ocorre no dia 21 e o recebimento da venda ocorre no dia 42. Eis um problema de Capital de Giro a ser resolvido.
- Logo, o Ciclo de Caixa é de 21 dias corridos. Em outras palavras, a vendedora de nosso exemplo precisa ter Capital de Giro suficiente para aguentar 21 dias (do dia 21 até o 42). Esse Capital de Giro deverá ser financiado pela própria vendedora (recursos próprios) ou ela pedirá empréstimo a um terceiro (banco, financeira, agiota).

Se cada compra feita pela vendedora for de R$ 1.000,00, quanto ela terá de reservar para o Capital de Giro?

Façamos balanços patrimoniais semanais para acompanharmos a evolução da necessidade de Capital de Giro da vendedora.

**FIGURA 36** Primeira compra de R$ 1.000,00 em mercadorias (Dia 0)

| Balanço Patrimonial - Vendedora de Cosméticos | | | |
|---|---|---|---|
| **ATIVO** | | **PASSIVO + Patrimônio Líquido (PL)** | |
| Estoque | R$ 1.000,00 | **PASSIVO** | |
| | | Fornecedores | R$ 1.000,00 |
| | | **PL** | |
| | | Capital Social | R$ 0 |
| **Total Ativo** | **R$ 1.000,00** | **Total Passivo + PL** | **R$ 1.000,00** |

Note, pelo balanço patrimonial, mais especificamente pela conta Capital Social, que a vendedora não investiu nada para iniciar seu empreendimento. Logo, ela não tem Capital de Giro próprio. O Capital de Giro necessário para manter o negócio funcionando virá de terceiros.

No dia 21, ela deve pagar o boleto referente às compras efetuadas. Como não tem capital investido, ela vai tomar emprestado do banco no cheque especial.

Dessa forma, teríamos a seguinte situação:

**FIGURA 37** Primeiro pagamento do boleto de R$ 1.000,00 (Dia 21)

| Balanço Patrimonial – Vendedora de Cosméticos | | | |
|---|---|---|---|
| **ATIVO** | | **PASSIVO + Patrimônio Líquido (PL)** | |
| Estoque | R$ 1.000,00 | **PASSIVO** | |
| | | Empréstimos bancários | R$ 1.000,00 |
| | | **PL** | |
| | | Capital Social | R$ 0 |
| **Total Ativo** | **R$ 1.000,00** | **Total Passivo + PL** | **R$ 1.000,00** |

No dia 28 dois eventos aconteceram: a vendedora efetuou uma venda a prazo das mercadorias, pelo valor de R$ 1.500,00. E, uma vez que efetuou a venda e ficou sem estoque, ela faz outra compra no valor de R$ 1.000,00.

**FIGURA 38** - Venda a prazo das mercadorias por R$ 1.500,00 e nova compra de R$ 1.000,00 (Dia 28)

| Balanço Patrimonial – Vendedora de Cosméticos | | | |
|---|---|---|---|
| **ATIVO** | | **PASSIVO + Patrimônio Líquido (PL)** | |
| Recebíveis | R$ 1.500,00 | **PASSIVO** | |
| Estoque | R$ 1.000,00 | Fornecedores | R$ 1.000,00 |
| | | Empréstimos bancários | R$ 1.000,00 |
| | | **PL** | |
| | | Capital Social | R$ 0 |
| | | Lucros acumulados | R$ 500,00 |
| **Total Ativo** | **R$ 2.500,00** | **Total Passivo + PL** | **R$ 2.500,00** |

Perceba que a venda a prazo das mercadorias gerou R$ 1.500,00 em recebíveis e um lucro de R$ 500,00, pois mercadorias que estavam registradas no estoque a R$ 1.000,00 foram vendidas por R$ 1.500,00. O valor de R$ 1.000,00 que figura no estoque é fruto da nova compra para repor os estoques, gerando uma nova conta a pagar aos fornecedores, no valor de R$ 1.000,00.

Outro ponto é que, embora a empresa tenha apurado lucro, este ainda não pode ser retirado da empresa, pois não há caixa. Isto é, a vendedora foi capaz de gerar lucro e ainda não foi capaz de gerar caixa.

O próximo evento acontece no dia 42, quando a vendedora, finalmente, recebe o dinheiro da venda do dia 28.

**FIGURA 39** Recebimento de venda (Dia 42)

| Balanço Patrimonial – Vendedora de Cosméticos | | | |
|---|---|---|---|
| **ATIVO** | | **PASSIVO + Patrimônio Líquido (PL)** | |
| Caixa | R$ 1.500,00 | **PASSIVO** | |
| Estoque | R$ 1.000,00 | Fornecedores | R$ 1.000,00 |
| | | Empréstimos bancários | R$ 1.000,00 |
| | | **PL** | |
| | | Capital Social | R$ 0 |
| | | Lucros acumulados | R$ 500,00 |
| **Total Ativo** | **R$ 2.500,00** | **Total Passivo + PL** | **R$ 2.500,00** |

Ainda no dia 42, imediatamente após receber o dinheiro, a vendedora paga o empréstimo bancário, que, no nosso exemplo, não cobra juros.

**FIGURA 40** Pagamento do empréstimo (Dia 42)

| Balanço Patrimonial – Vendedora de Cosméticos | | | |
|---|---|---|---|
| **ATIVO** | | **PASSIVO + Patrimônio Líquido (PL)** | |
| Caixa | R$ 500,00 | **PASSIVO** | |
| Estoque | R$ 1.000,00 | Fornecedores | R$ 1.000,00 |
| | | Empréstimos bancários | R$ 0 |
| | | **PL** | |
| | | Capital Social | R$ 0 |
| | | Lucros acumulados | R$ 500,00 |
| **Total Ativo** | **R$ 1.500,00** | **Total Passivo + PL** | **R$ 1.500,00** |

Ainda no dia 42, a vendedora tirou da empresa R$ 500,00 para que pudesse sobreviver, zerando o caixa e os lucros acumulados. Perceba que ela ainda não é capaz de reinvestir o lucro. Vejamos como fica o balanço patrimonial logo após a proprietária retirar da empresa o lucro gerado:

**FIGURA 41** Proprietária embolsa lucro (Dia 42)

| Balanço Patrimonial – Vendedora de Cosméticos | | | |
|---|---:|---|---:|
| **ATIVO** | | **PASSIVO + Patrimônio Líquido (PL)** | |
| Caixa | R$ 0 | **PASSIVO** | |
| Estoque | R$ 1.000,00 | Fornecedores | R$ 1.000,00 |
| | | Empréstimos bancários | R$ 0 |
| | | **PL** | |
| | | Capital Social | R$ 0 |
| | | Lucros acumulados | R$ 0 |
| **Total Ativo** | **R$ 1.000,00** | **Total Passivo + PL** | **R$ 1.000,00** |

Perceba, por esse exemplo, que a vendedora ficou do dia 21 até o dia 42 devedora no cheque especial, no valor de R$ 1.000,00. Essa foi sua necessidade de Capital de Giro.

A necessidade de Capital de Giro foi financiada de um jeito bem caro: tomou capital de terceiros por meio de um produto cuja taxa de juros, no mercado, é altíssima. No exemplo, consideramos taxa zero, o que obviamente é uma simplificação. O fato de a taxa de juros não ser zero fará com que a retirada da proprietária seja menor que R$ 500,00, sendo a diferença a despesa de juros.

Melhor seria se ela pudesse financiar esse Capital de Giro com recursos próprios. Em outras palavras, a empreendedora deveria ter passado por um processo de acumulação prévia de capital, de modo a não depender do banco. Esse capital próprio seria investido na empresa na forma de Capital Social.

De maneira a deixar o exemplo da análise do Capital de Giro mais robusto, montamos a evolução do saldo da conta bancária dessa vendedora.

Lembre-se de que, para o problema em questão, temos as seguintes premissas:

PMRE **28 dias** A vendedora faz seu pedido a cada quatro semanas.
PMPC **21 dias** A vendedora paga a compra três semanas após receber a mercadoria.
MRV **14 dias** A vendedora recebe o dinheiro da venda duas semanas após vender.

A vendedora tira da empresa 100% do lucro gerado.

Agora, vejamos a tabela evidenciando todas as transações da empresa, considerando um período de seis meses:

**FIGURA 42** Resumo das transações – Vendedora de Cosméticos (6 meses)

| Semana | Dia | Compra R$ | Paga R$ | Vende R$ | Recebe R$ | Retirada R$ | Saldo Banco R$ |
|---|---|---|---|---|---|---|---|
| 0 | 0 | 1.000,00 | – | – | – | – | – |
| 1 | 7 | – | – | – | – | – | – |
| 2 | 14 | – | – | – | – | – | – |
| 3 | 21 | – | 1.000,00 | – | – | – | (1.000,00) |
| 4 | 28 | 1.000,00 | – | 1.500,00 | – | – | (1.000,00) |
| 5 | 35 | – | – | – | – | – | (1.000,00) |
| 6 | 42 | – | – | – | 1.500,00 | 500,00 | – |
| 7 | 49 | – | 1.000,00 | – | – | – | (1.000,00) |
| 8 | 56 | 1.000,00 | – | 1.500,00 | – | – | (1.000,00) |
| 9 | 63 | – | – | – | – | – | (1.000,00) |
| 10 | 70 | – | – | – | 1.500,00 | 500,00 | – |
| 11 | 77 | – | 1.000,00 | – | – | – | (1.000,00) |
| 12 | 84 | 1.000,00 | – | 1.500,00 | – | – | (1.000,00) |
| 13 | 91 | – | – | – | – | – | (1.000,00) |
| 14 | 98 | – | – | – | 1.500,00 | 500,00 | – |
| 15 | 105 | – | 1.000,00 | – | – | – | (1.000,00) |
| 16 | 112 | 1.000,00 | – | 1.500,00 | – | – | (1.000,00) |
| 17 | 119 | – | – | – | – | – | (1.000,00) |
| 18 | 126 | – | – | – | 1.500,00 | 500,00 | – |
| 19 | 133 | – | 1.000,00 | – | – | – | (1.000,00) |
| 20 | 140 | 1.000,00 | – | 1.500,00 | – | – | (1.000,00) |
| 21 | 147 | – | – | – | – | – | (1.000,00) |
| 22 | 154 | – | – | – | 1.500,00 | 500,00 | – |
| 23 | 161 | – | 1.000,00 | – | – | – | (1.000,00) |
| 24 | 168 | 1.000,00 | – | 1.500,00 | – | – | (1.000,00) |
| 25 | 175 | – | – | – | – | – | (1.000,00) |
| 26 | 182 | – | – | – | 1.500,00 | 500,00 | – |

A tabela da Figura 42 foi construída a partir da coluna "Compra". Como o PMRE é de 28 dias, a cada 28 dias a vendedora faz um novo pedido. A próxima coluna construída foi a "Paga", que indica um pagamento de R$ 1.000,00 três semanas após o evento de compra, evidenciado na coluna "Compra". Lembre-se de que o PMPC é de 21 dias. A coluna "Vende" indica que a venda ocorre sempre quatro semanas após a compra das mercadorias. Note que o PMRE é de 28 dias. A coluna "Recebe" foi construída admitindo-se que o valor da venda é transformado em dinheiro duas semanas após o evento de venda, dado pela coluna "Vende". Lembre-se também de que o PMRV é de duas semanas e que o valor da coluna "Vende" é de R$ 1.500,00.

Logo após cada recebimento de R$ 1.500,00, a vendedora tira da empresa R$ 500,00 para sua subsistência. E se quiséssemos incluir no modelo a cobrança de juros por parte do banco? Admitindo um mês com quatro semanas, percebemos que, em média, a vendedora passa três semanas do mês devendo R$ 1.000,00 no cheque especial. Supondo taxa de juros do cheque especial de 12% ao mês, a vendedora teria de arcar com juros mensais de 0,12 x (3/4) x R$ 1.000,00 = R$ 90,00.

*Vendas em dobro*

Ainda considerando esse caso, o que mudaria na necessidade de Capital de Giro se a vendedora decidisse vender o dobro?

Vamos continuar imaginando que 100% do lucro sejam retirados do negócio pela vendedora. Do ponto de vista prático, para vender o dobro seria necessário ampliar o prazo de pagamento para os clientes. Contudo, para simplificar a análise, vamos supor que os prazos PMRE, PMPC e PMRV mantenham-se inalterados:

PMPC – 3 semanas
PMRE – 4 semanas
PMRV – 2 semanas

Assim, continuamos com o mesmo Ciclo de Caixa.

**FIGURA 43** Ciclo de Caixa da vendedora de cosméticos com o dobro de vendas

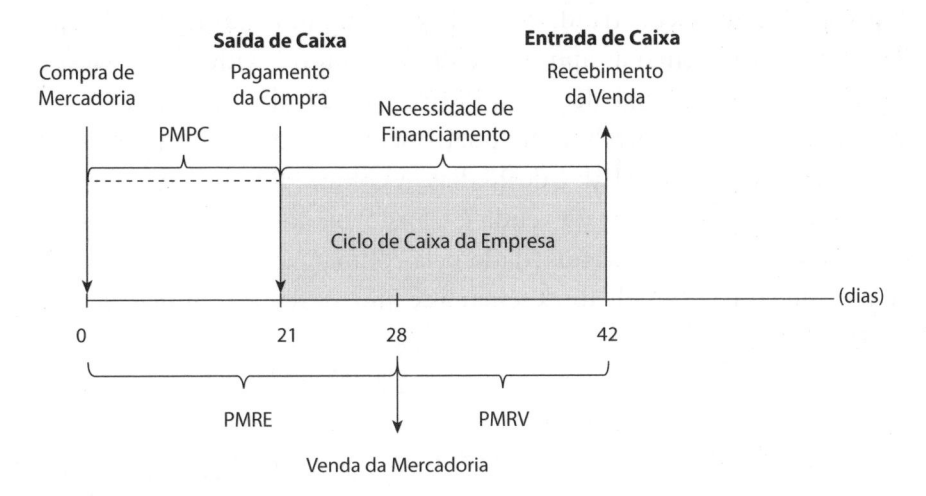

```
                Saída de Caixa              Entrada de Caixa
Compra de      Pagamento                    Recebimento
Mercadoria     da Compra                    da Venda
                            Necessidade de
         PMPC               Financiamento

                      Ciclo de Caixa da Empresa
                                                          (dias)
0              21        28              42
        PMRE              PMRV
              Venda da Mercadoria
```

Em outras palavras, o empreendimento da vendedora ainda requer financiamento durante 21 dias (três semanas). Agora, qual será o valor necessário para o Capital de Giro?

Em vez de fazermos os Balanços Patrimoniais sucessivos, vamos direto para o Fluxo de Caixa, analisando o saldo bancário semanalmente e admitindo que se venda o dobro. Para se vender o dobro, é preciso comprar também o dobro de mercadorias. Vejamos a tabela a seguir, que mostra o saldo semanal da conta garantida.

A vendedora continua passando três semanas do mês com a conta negativa, mas agora em R$ 2.000,00. Considerando a taxa de juros do cheque especial de 12% ao mês, a vendedora teria de arcar com juros mensais de 0,12 x (3/4) x R$ 2.000,00 = R$ 180,00.

Uma questão a ser analisada é: *quem disse que a vendedora tem limite de crédito de R$ 2.000,00?*

Perceba que, enquanto ela não reinvestir parte do lucro no negócio, permanecerá tomando dinheiro emprestado do banco e pagando juros muito altos.

**FIGURA 44** Saldo semanal da conta garantida – Vendedora de Cosméticos (6 meses)

| Semana | Dia | Compra R$ | Paga R$ | Vende R$ | Recebe R$ | Retirada R$ | Saldo Banco R$ |
|---|---|---|---|---|---|---|---|
| 0 | 0 | 2.000,00 | – | – | – | – | – |
| 1 | 7 | – | – | – | – | – | – |
| 2 | 14 | – | – | – | – | – | – |
| 3 | 21 | – | 2.000,00 | – | – | – | (2.000,00) |
| 4 | 28 | 2.000,00 | – | 3.000,00 | – | – | (2.000,00) |
| 5 | 35 | – | – | – | – | – | (2.000,00) |
| 6 | 42 | – | – | – | 3.000,00 | 1.000,00 | – |
| 7 | 49 | – | 2.000,00 | – | – | – | (2.000,00) |
| 8 | 56 | 2.000,00 | – | 3.000,00 | – | – | (2.000,00) |
| 9 | 63 | – | – | – | – | – | (2.000,00) |
| 10 | 70 | – | – | – | 3.000,00 | 1.000,00 | – |
| 11 | 77 | – | 2.000,00 | – | – | – | (2.000,00) |
| 12 | 84 | 2.000,00 | – | 3.000,00 | – | – | (2.000,00) |
| 13 | 91 | – | – | – | – | – | (2.000,00) |
| 14 | 98 | – | – | – | 3.000,00 | 1.000,00 | – |
| 15 | 105 | – | 2.000,00 | – | – | – | (2.000,00) |
| 16 | 112 | 2.000,00 | – | 3.000,00 | – | – | (2.000,00) |
| 17 | 119 | – | – | – | – | – | (2.000,00) |
| 18 | 126 | – | – | – | 3.000,00 | 1.000,00 | – |
| 19 | 133 | – | 2.000,00 | – | – | – | (2.000,00) |
| 20 | 140 | 2.000,00 | – | 3.000,00 | – | – | (2.000,00) |
| 21 | 147 | – | – | – | – | – | (2.000,00) |
| 22 | 154 | – | – | – | 3.000,00 | 1.000,00 | – |
| 23 | 161 | – | 2.000,00 | – | – | – | (2.000,00) |
| 24 | 168 | 2.000,00 | – | 3.000,00 | – | – | (2.000,00) |
| 25 | 175 | – | – | – | – | – | (2.000,00) |
| 26 | 182 | – | – | – | 3.000,00 | 1.000,00 | – |

## Exemplo 3: Posto de combustíveis

Consideremos agora um posto de combustíveis que vende 60 mil litros de gasolina por semana. Ele compra o combustível a R$ 2,10 o litro e o revende a R$ 2,50. Eis os dados necessários para calcularmos seu fluxo de caixa:

| | | |
|---|---|---|
| PMPC | 0 | O posto paga ao fornecedor de combustíveis à vista. |
| PMRE | 1 semana | Estoque gira em 1 semana (compras devem ser semanais) |
| PMRV | 4 semanas | O posto recebe de seus clientes, em geral, em 28 dias. |
| Valor compra | R$ 126.000,00 | 60 mil litros de gasolina comprados a R$ 2,10 o litro. |
| Valor venda | R$ 150.000,00 | 60 mil litros de gasolina vendidos a R$ 2,50 o litro. |

O ciclo de caixa da empresa fica assim:

**FIGURA 45** Ciclo de Caixa do posto de combustíveis

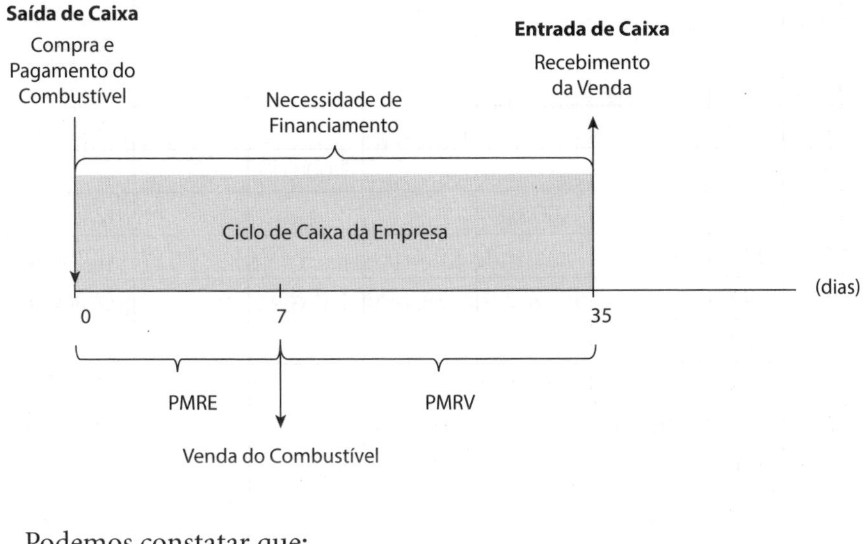

Podemos constatar que:

- No instante zero, o posto de combustíveis compra e paga pela mercadoria.

- Em média, a venda ocorre sete dias corridos após a compra do combustível. Com essas informações, já percebemos que o problema de Capital de Giro está presente: mesmo que o posto venda à vista, ele ainda teria de pagar ao fornecedor antes mesmo de revender o combustível.
- Para agravar a situação, o posto vende no dia 7 e apenas receberá o dinheiro no dia 35.
- Note que o pagamento da compra ocorre no dia 0 e o recebimento da venda ocorre no dia 35. Esse é um problema de Capital de Giro a ser resolvido.
- Logo, o ciclo de caixa é de 35 dias corridos. Em outras palavras, o posto do nosso exemplo precisa ter Capital de Giro suficiente para aguentar 35 dias (do dia 0 até o 35). Esse Capital de Giro deverá ser financiado pelo próprio dono do posto (recursos próprios) ou ele pedirá empréstimo a um terceiro (banco, financeira, agiota).

Com esse volume de vendas e com essa política de prazos, quanto o posto terá de reservar para o Capital de Giro? Analise pela tabela da Figura 46 o fluxo de caixa projetado, considerando retirada de 100% do lucro bruto gerado. Perceba que o posto de gasolina em questão requer R$ 630.000,00 de Capital de Giro.

### Vendas em alta e caixa em falta?

Um conflito clássico na administração de grandes empresas é a queda de braço entre profissionais de marketing, que traçam estratégias para vender cada vez mais, e profissionais das finanças, que supostamente colocam freio nas diversas expectativas, incluindo as referentes a vendas. Diz o folclore que o financeiro joga contra o sucesso comercial das empresas. Meu objetivo aqui é provar o contrário.

Mas existem, sim, situações em que vender mais pode ser um problema. Ilustro essa reflexão com a situação de uma empresa cujo Ciclo de Caixa é desfavorável, ou seja, em que os pagamentos geralmente acontecem antes dos recebimentos, como mostrado na Figura 47.

**FIGURA 46** Resumo das transações – Posto de Gasolina (6 meses)

| Semana | Dia | Compra | Paga | Vende | Recebe | Retirada | Saldo Banco |
|---|---|---|---|---|---|---|---|
| | | R$ | R$ | R$ | R$ | R$ | R$ |
| 0 | 0 | 126.000,00 | 126.000,00 | – | – | – | (126.000,00) |
| 1 | 7 | 126.000,00 | 126.000,00 | 150.000,00 | – | – | (252.000,00) |
| 2 | 14 | 126.000,00 | 126.000,00 | 150.000,00 | – | – | (378.000,00) |
| 3 | 21 | 126.000,00 | 126.000,00 | 150.000,00 | – | – | (504.000,00) |
| 4 | 28 | 126.000,00 | 126.000,00 | 150.000,00 | – | – | (630.000,00) |
| 5 | 35 | 126.000,00 | 126.000,00 | 150.000,00 | 150.000,00 | 24.000,00 | (630.000,00) |
| 6 | 42 | 126.000,00 | 126.000,00 | 150.000,00 | 150.000,00 | 24.000,00 | (630.000,00) |
| 7 | 49 | 126.000,00 | 126.000,00 | 150.000,00 | 150.000,00 | 24.000,00 | (630.000,00) |
| 8 | 56 | 126.000,00 | 126.000,00 | 150.000,00 | 150.000,00 | 24.000,00 | (630.000,00) |
| 9 | 63 | 126.000,00 | 126.000,00 | 150.000,00 | 150.000,00 | 24.000,00 | (630.000,00) |
| 10 | 70 | 126.000,00 | 126.000,00 | 150.000,00 | 150.000,00 | 24.000,00 | (630.000,00) |
| 11 | 77 | 126.000,00 | 126.000,00 | 150.000,00 | 150.000,00 | 24.000,00 | (630.000,00) |
| 12 | 84 | 126.000,00 | 126.000,00 | 150.000,00 | 150.000,00 | 24.000,00 | (630.000,00) |
| 13 | 91 | 126.000,00 | 126.000,00 | 150.000,00 | 150.000,00 | 24.000,00 | (630.000,00) |
| 14 | 98 | 126.000,00 | 126.000,00 | 150.000,00 | 150.000,00 | 24.000,00 | (630.000,00) |
| 15 | 105 | 126.000,00 | 126.000,00 | 150.000,00 | 150.000,00 | 24.000,00 | (630.000,00) |
| 16 | 112 | 126.000,00 | 126.000,00 | 150.000,00 | 150.000,00 | 24.000,00 | (630.000,00) |
| 17 | 119 | 126.000,00 | 126.000,00 | 150.000,00 | 150.000,00 | 24.000,00 | (630.000,00) |
| 18 | 126 | 126.000,00 | 126.000,00 | 150.000,00 | 150.000,00 | 24.000,00 | (630.000,00) |
| 19 | 133 | 126.000,00 | 126.000,00 | 150.000,00 | 150.000,00 | 24.000,00 | (630.000,00) |
| 20 | 140 | 126.000,00 | 126.000,00 | 150.000,00 | 150.000,00 | 24.000,00 | (630.000,00) |
| 21 | 147 | 126.000,00 | 126.000,00 | 150.000,00 | 150.000,00 | 24.000,00 | (630.000,00) |
| 22 | 154 | 126.000,00 | 126.000,00 | 150.000,00 | 150.000,00 | 24.000,00 | (630.000,00) |
| 23 | 161 | 126.000,00 | 126.000,00 | 150.000,00 | 150.000,00 | 24.000,00 | (630.000,00) |
| 24 | 168 | 126.000,00 | 126.000,00 | 150.000,00 | 150.000,00 | 24.000,00 | (630.000,00) |
| 25 | 175 | 126.000,00 | 126.000,00 | 150.000,00 | 150.000,00 | 24.000,00 | (630.000,00) |
| 26 | 182 | 126.000,00 | 126.000,00 | 150.000,00 | 150.000,00 | 24.000,00 | (630.000,00) |

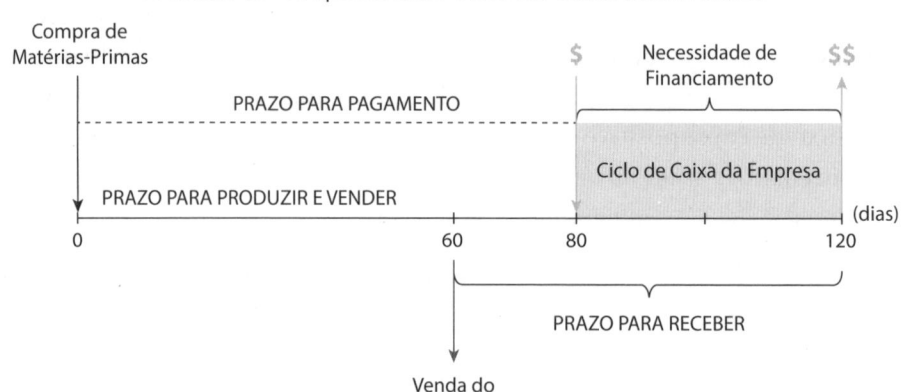

**FIGURA 47** Empresa com Ciclo de Caixa desfavorável

```
Compra de
Matérias-Primas                                    $        Necessidade de      $$
                                                            Financiamento
                    PRAZO PARA PAGAMENTO
        ─────────────────────────────────────               Ciclo de Caixa da Empresa
        PRAZO PARA PRODUZIR E VENDER
                                                                                    (dias)
        0                               60         80                          120
                                        │                                       │
                                        └───────────────┬───────────────────────┘
                                                 PRAZO PARA RECEBER
                                        │
                                     Venda do
                                     Produto
```

No caso, sempre que a empresa faz encomendas de matérias-primas, o fornecedor lhe concede um prazo de 80 dias para pagamento da compra. A partir do momento da encomenda, começa a correr um tempo precioso para a empresa: o ideal seria que, dentro dos 80 dias, a empresa recebesse das vendas de seus clientes os recursos necessários para pagar as compras.

Porém, nesse mesmo período, é preciso contar com o tempo que o fornecedor leva para processar e despachar a encomenda, mais o tempo de recebimento, conferência e organização das matérias-primas na empresa, além do tempo de produção, finalização, exposição para venda e concretização do faturamento. Todo esse processo acontece, nessa empresa, em 60 dias. Entretanto, faturar a venda não é a solução para as necessidades financeiras da empresa. Essas necessidades são atendidas quando ocorre o efetivo recebimento das vendas feitas. Para essa empresa, a condição comercial que pode ser trabalhada para se manter competitiva é de um prazo médio de 60 dias para receber, que resulta em um Ciclo Operacional total de 120 dias.

Percebe-se, então, que da data 80 até a data 120 há um descasamento que pede o investimento em Capital de Giro, ou seja, os recursos necessários para honrar os compromissos enquanto não acontece a entrada de caixa.

O financiamento do Capital de Giro pode ser com capital próprio ou recursos de terceiros, e não será um problema se sua necessidade for identificada antecipadamente. Como vimos, uma vez injetados na empresa os recursos necessários para atender os pagamentos de todas as vendas que acontecerem nos primeiros dias de atividade, teremos os pagamentos das vendas seguintes cobertos pelas entradas de caixa que passam a acontecer a partir da data 120. Como as entradas de caixa são em valor maior do que as saídas de caixa (uma vez que o preço de venda é maior que o custo), haverá um fluxo de caixa positivo daí em diante.

Entretanto, *a situação deixa de ser tranquila em um caso peculiar: quando a empresa passa a ter um grande sucesso nas vendas!*

Perceba que, uma vez identificada a oportunidade de vender mais, a empresa passará a encomendar mais, aumentando seus compromissos a pagar.

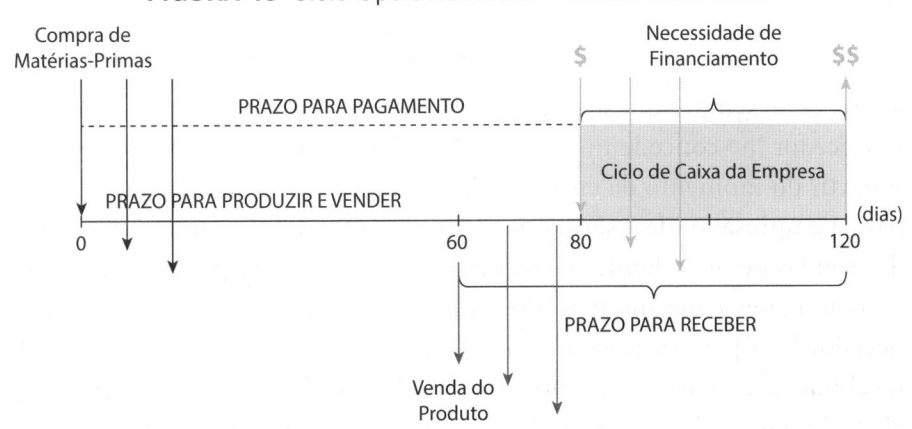

**FIGURA 48** Ciclo Operacional com vendas crescentes

Em uma primeira reflexão, mais encomendas, mais vendas e mais contas a pagar são boas notícias; afinal, são reflexo de que, em breve, virão também mais entradas de caixa decorrentes das vendas. Porém, quando chega a tão esperada data de recebimento, podemos ter um descasamento nas proporções entre entradas e saídas: enquanto as entradas de caixa referem-se a uma encomenda feita na data zero, as saídas nessa data referem-se a uma encomenda de compra mais recente. Se as vendas tiverem crescido a ponto de o valor a pagar pelas compras ser maior que o valor a receber por vendas mais antigas, teremos um fluxo de caixa negativo nessa data.

**FIGURA 49** Fluxo de Caixa negativo

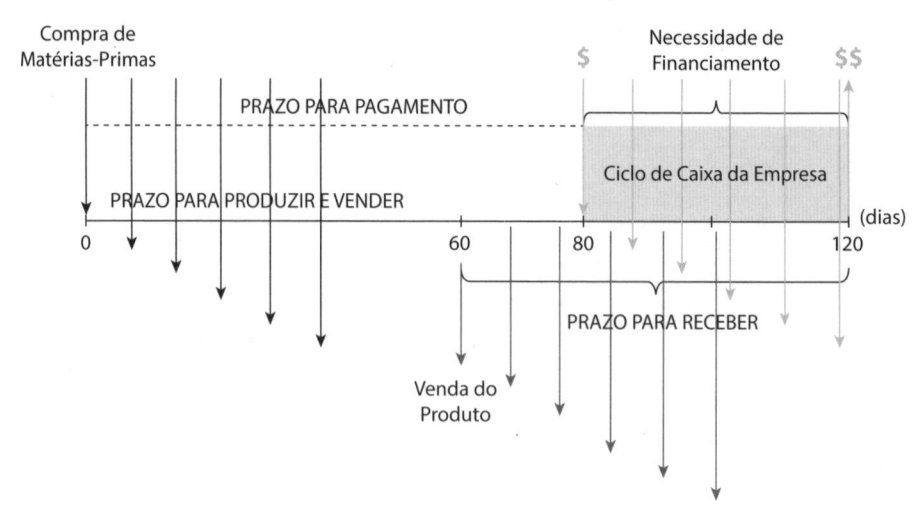

```
Compra de                                      Necessidade de
Matérias-Primas                    $            Financiamento      $$
        PRAZO PARA PAGAMENTO
                                                Ciclo de Caixa da Empresa
        PRAZO PARA PRODUZIR E VENDER
                                                                    (dias)
    0                              60      80                   120
                                         PRAZO PARA RECEBER
                        Venda do
                        Produto
```

Se as compras e vendas forem diárias, teremos o mesmo problema no dia seguinte. Receitas de vendas maiores que na véspera, mas pagamentos de compras ainda maiores. Novo fluxo de caixa negativo nessa data. Quanto mais aumentam as vendas da empresa, maior fica sua necessidade de Capital de Giro – que, se não for detectada rapidamente, resultará em um rombo crescente nas contas da empresa.

É por essa razão que, em empresas cujo Ciclo de Caixa seja desfavorável, não é saudável estimular um crescimento contínuo nas vendas, como o observado no gráfico da Figura 50.

O crescimento nas vendas resulta em consumo do Capital de Giro, reduzindo o Caixa da empresa. Se nada for feito para conter o consumo de Caixa quando ele entrar no negativo, a curva de consumo de Caixa sofrerá um efeito mais acelerado e exponencial, pois estará sob o efeito de uma despesa até então não prevista: *a despesa com juros* de cobertura da conta negativa. Isso explica por que tantas empresas são um sucesso de vendas e nunca conseguem contar com Caixa para honrar suas obrigações.

Para evitar esse problema, é recomendável que seja feita, de tempos em tempos, uma contenção no crescimento das vendas. Se as *vendas forem mantidas* em um determinado patamar de estabilidade e os recursos originados dos fluxos de caixa positivos *não forem distribuídos* aos sócios, serão acumulados para criar fôlego para um novo período de crescimento e consumo de Caixa.

**FIGURA 50** Ciclo de Caixa desfavorável por aumento das vendas

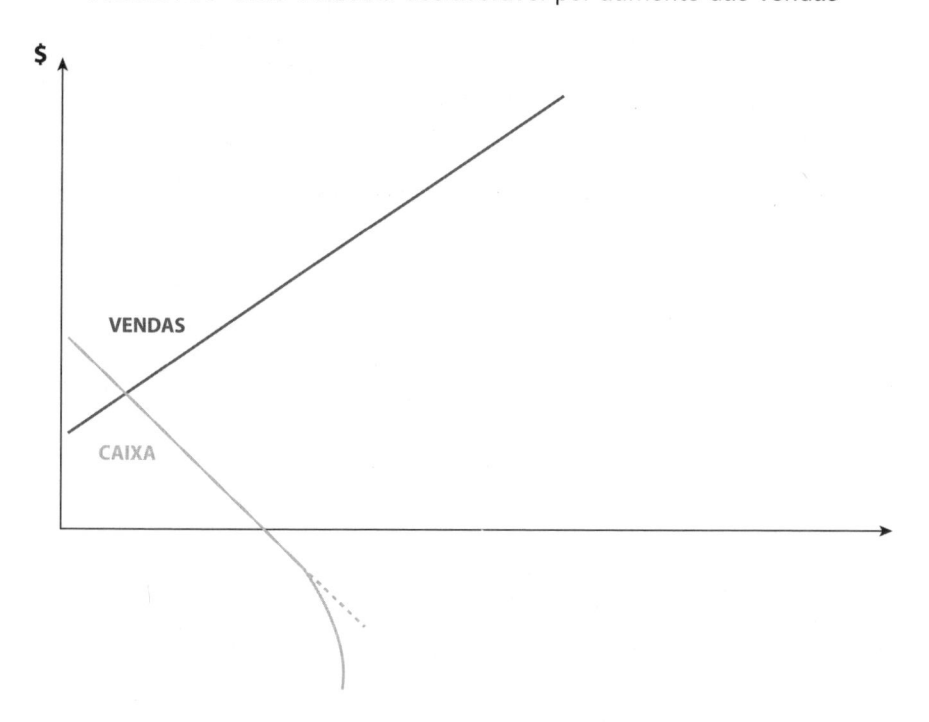

**FIGURA 51** Contenção do crescimento das vendas

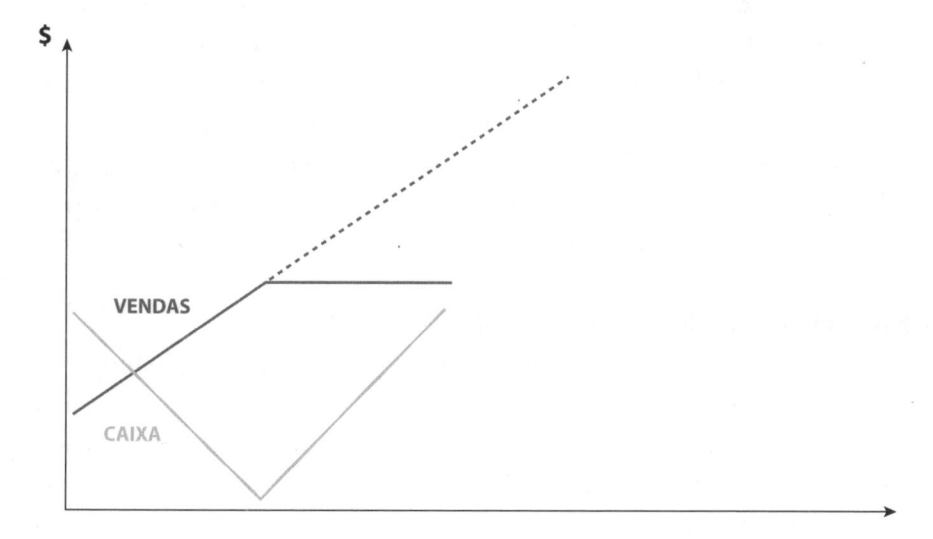

Assim, compreende-se que um fluxo saudável de evolução nas vendas para empresas com Ciclo de Caixa desfavorável é aquele que consiste em ciclos de crescimento intercalados com períodos de estabilidade nas vendas, visando acumular recursos para cada fase de expansão. Em outras palavras, empresas que pagam antes e recebem depois devem ter cautela na expansão de seus negócios, com o crescimento acontecendo em degraus, e não continuamente.

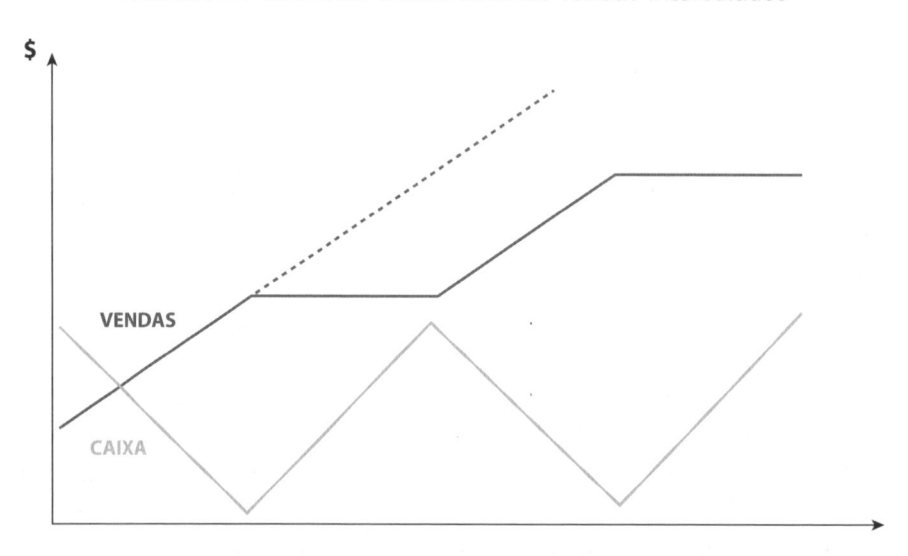

**FIGURA 52** Ciclos de crescimento de vendas intercalados

Ressalto que essa orientação somente faz sentido para empresas com Ciclo de Caixa desfavorável. Empresas que conseguem receber antes de pagar cada Ciclo Operacional não carecem de se preocupar com o consumo de Caixa e o financiamento do Capital de Giro, por isso podem concentrar esforços em uma expansão contínua nas vendas, atentando apenas para sua capacidade operacional de atender às vendas feitas.

### Seletividade: por que desistir de alguns clientes

Em situações em que é preciso segurar o ímpeto de vender, quando mais vendas podem significar redução de resultados, em função do custo financeiro, quando falta Capital de Giro e o custo para financiá-lo reduz os resultados do negócio, a solução é estancar as vendas ou até encolher a operação, caso o problema tenha sido detectado com atraso. Nesses casos, ficamos diante de um dilema:

*Como não atender um cliente que quer comprar?*

A questão aqui não é atender ou não atender, mas sim selecionar clientes. As mesmas ferramentas que utilizamos para avaliar a Rentabilidade, o Valor Presente Líquido e a Taxa de Retorno da empresa como um todo podem ser utilizadas para avaliar os diferentes segmentos de atuação da empresa.

Ao fazer isso, certamente você perceberá que alguns produtos ou serviços possuem margens de contribuição maiores do que outros. Por sua vez, outros exigem menos custos fixos para efetivarem vendas, por isso trazem maior rentabilidade mesmo que sua margem de contribuição seja menor.

Em períodos favoráveis aos negócios, costumamos experimentar linhas de produtos ou estratégias que atraiam mais clientes. Uma estratégia eficaz e muito utilizada é aumentar o mix de produtos e serviços, para oferecer um atendimento mais completo aos atuais e aos novos clientes. É por esse motivo que consultorias atuam também em educação. Pelo mesmo motivo, estabelecimentos comerciais aumentam sua gama de produtos e serviços para que seus clientes não tenham que comprar de outro.

Mas, quando é necessário limitar vendas, tais estratégias precisam ser revistas. Digamos que uma petshop, por exemplo, trabalhe com uma grande margem nos serviços de banho e tosa e consuma parte dessa margem na pouco rentável, mas demandada, venda de rações e acessórios.

Uma estratégia a avaliar seria firmar parceria com um concorrente que atua em situação inversa, com lucro em rações e acessórios e baixo resultado em banho e tosa. Um estabelecimento menor em bairro mais nobre poderia concentrar sua atividade em banho e tosa, enquanto outro estabelecimento, localizado em região com aluguel mais barato, poderia se concentrar na venda de produtos que exigem estoques volumosos. Pela parceria, um poderia atender aos clientes do outro em troca de comissões ou permuta. Com isso, poderiam deixar de atender clientes menos rentáveis (ou de oferecer itens de menor margem) e concentrar seus esforços naquilo que proporciona maior fôlego para expandir os resultados.

# 7
# Ponto de Equilíbrio da Empresa

Quanto maior for o investimento feito para dar início a um negócio, mais ele vai demorar a se pagar, ou maior será a exigência de vendas para que o negócio se torne viável, ou atinja seu *Ponto de Equilíbrio*.

## Análise Custo-Volume-Lucro

Para entender o conceito de equilíbrio, utilizamos um conjunto de avaliações denominado tecnicamente de *Análise Custo-Volume-Lucro*. O objetivo é utilizar as demonstrações financeiras para identificar o nível de risco a que a operação da empresa está exposta e dar clareza à busca por resultados.

Quando falo de risco, refiro-me particularmente aos riscos operacionais e financeiros, isto é, às limitações que surgem ao fazer investimentos em uma estrutura operacional, e também ao captar recursos que imponham compromissos anteriores à distribuição do lucro. A Análise Custo-Volume-Lucro é dividida em três partes:

1) Separação entre Custos e Despesas fixos e Custos e Despesas variáveis
2) Quantificação do *Ponto de Equilíbrio* da empresa (*breakeven point*)
3) Identificação do grau de alavancagem a que a empresa está exposta

*1) Separação entre Custos e Despesas fixos e variáveis*

Você pode se perguntar: qual é o interesse em distinguir os gastos da empresa entre fixos e variáveis? Em termos de resultado, nenhum. *Independentemente de como você classifica suas contas de resultado, o lucro deve ser o mesmo e, portanto, os impostos a pagar também.*

O objetivo de segmentar os custos e despesas entre fixos e variáveis está em auxiliar na determinação do ponto de equilíbrio da empresa. Em outras palavras, o objetivo é gerencial, apenas para ajudar o empreendedor a identificar informações importantes para ajudar em suas decisões.

Até aqui, quando me referi à Demonstração do Resultado do Exercício (DRE), dividi os gastos da empresa entre Custos e Despesas. Lembre-se de que Custos são todos os gastos que, de alguma forma, estão diretamente associados aos bens ou serviços vendidos. Despesas são todos os gastos necessários para que a empresa obtenha mais receitas. Gerencialmente, para facilitar a leitura que desejamos ter aqui, é possível dividir os custos e despesas em fixos e variáveis.

*Custos e despesas fixos* são aqueles que não variam sensivelmente com mudanças no volume de produção e/ou vendas. Independentemente de a empresa vender ou não, ela terá de arcar com gastos desse tipo. Por exemplo:

- Folha de pagamento
- Aluguel ou *leasing* de Ativos
- Depreciação de Ativos Imobilizados
- Juros decorrentes de financiamentos

*Custos e despesas variáveis* são aqueles que tendem a variar em proporção muito próxima da variação dos níveis de vendas. Quanto mais a empresa vender, maiores serão os gastos com esses itens. Exemplos:

- Materiais diretos consumidos no processo de produção
- Contribuições e impostos sobre vendas (PIS, COFINS, IPI, ICMS)
- Comissões de vendas
- Embalagens dos produtos vendidos
- Fretes de vendas

Alguns dos gastos da empresa não são exatamente fixos nem variáveis, pois oscilam de acordo com o volume de produção, porém não exatamente na mesma proporção. Alguns exemplos são as contas de água, luz e telefone. Elas certamente aumentam quando a empresa está operando a todo vapor, mas não é razoável supor que a conta de energia dobrará se o mesmo acontecer com as vendas.

Em razão desse comportamento intermediário, tais contas poderiam ser classificadas com *semifixas* ou *semivariáveis*. No entanto, para fins de aplicação na Análise Custo-Volume-Lucro, sugiro que seja utilizado o bom senso, baseado nas características operacionais do negócio, para identificar todos os gastos da empresa entre fixos e variáveis. Se a variação de uma conta semifixa for pouco sensível diante de variações no volume de produção, ela deve ser classificada como fixa. O objetivo dessa simplificação é manter a praticidade do método de análise, visando obter respostas rápidas sobre a saúde financeira da empresa.

### Preços de produtos e serviços

A formação do preço de venda das mercadorias, produtos ou serviços é uma dificuldade bastante comum entre os empresários menos experientes. Em geral, comerciantes recorrem a fórmulas simplificadoras para estabelecer preços, como somar uma margem de 50% ao valor de venda de uma mercadoria, ou 100% quando se trata de um produto que lhe consuma horas de trabalho.

Quando alguém que não tem o hábito de jantar fora visita um restaurante, é comum demorar a compreender a racionalidade de preços. "Faço uma salada dessas por 10% do preço que cobram aqui!", "Paguei por esse bife o que pagaria por um churrasco inteiro no açougue" ou "Pelo preço do couvert faço em casa a refeição para a família!" são algumas reflexões comuns. O mesmo vale para a compra de roupas em shopping centers: "Essa roupa custa três vezes mais que uma igual vendida em um centro de compras popular!"

Os desavisados podem se sentir explorados, mas não deveriam. Na prática, os diferenciais de preços são o que justifica a existência do negócio. O valor que você paga pela salada não é composto apenas pelo que o chef paga na feira mais seu lucro. Na conta está também um rateio estimado do quanto custou para aquela salada chegar à mesa do cliente, incluindo o investimento no ambiente do restaurante, na estrutura da cozinha, na aquisição e reposição de talheres e utensílios, no treinamento de garçons e atendentes e no salário ou treinamento do chef responsável pelos pratos. Em um restaurante, não pagamos por uma salada, mas sim pela experiência de comer uma salada preparada por alguém que estudou para prepará-la com determinada qualidade, servida em um ambiente preparado exclusivamente para tal.

Da mesma maneira, o sobrepreço que pagamos ao comprar em shoppings não se traduz em lucro para o lojista. O preço não é pela peça de roupa, mas sim pela experiência de comprar a roupa em ambiente seguro, climatizado e com a ajuda de vendedores, em uma loja de decoração sofisticada que ainda precisa pagar comissões para fazer parte do condomínio do shopping.

Se o dono do restaurante ou o lojista colocassem apenas sua expectativa de lucro como margem sobre o custo daquilo que vendem, nunca seriam capazes de repor ou de manter renovada a estrutura em que investiram para começar o negócio.

Na prática, digamos que, se o objetivo é vender capas de smartphones que custam R$ 10,00, estabelece-se um preço de venda da ordem de R$ 15,00. No caso do comércio popular, onde há muita barganha, uma margem maior é considerada (digamos, 100%) e 50% são estabelecidos como o piso para negociação.

Há uma falha evidente nessa prática. O cálculo com base no preço de custo causa uma distorção de avaliação que pode colocar em risco as expectativas do empresário. Ao analisar as vendas com base no faturamento, percebemos que a margem idealizada de 50% é, na verdade, de apenas 33%, pois os R$ 5,00 de margem sobre o preço de R$ 15,00 resultam em 0,33 ou 33%.

Nos casos em que não há um acompanhamento financeiro detalhado baseado em demonstrações financeiras, isso causa uma ilusão orçamentária que induz fortemente a gastos maiores do que o aceitável. Não é fácil perceber isso: "Se eu faturo R$ 1.000,00 por semana e minha margem é de 50%, então posso retirar ou investir R$ 500,00 semanais." Essa é uma das explicações mais simples para a falta de lucros de empresas pequenas ou com pouco tempo de existência.

Saber formar adequadamente o preço de venda é essencial para a lucratividade de qualquer negócio, e para que isso seja feito é preciso considerar todos os aspectos da operação de venda da empresa. O preço adequado de um produto ou serviço deve considerar:

- Os custos daquilo que é comercializado
- Eventuais despesas variáveis, como fretes, comissões e embalagens
- O rateio de custos e despesas fixos referentes à estrutura montada para gerar vendas
- A margem de ganho esperada pelos sócios do negócio

A formulação do preço de venda fica, então, da seguinte maneira:

> **Preço de Venda** = Custos Variáveis + Despesas Variáveis + Rateio de Gastos Fixos + Margem de Lucro

Para uma empresa que já está em funcionamento, é mais simples calcular o rateio de gastos fixos. Basta dividir os custos e despesas fixos totais de um mês de atividade pelas vendas totais no mesmo período. Quando se trata de rateio de uma operação ainda sem histórico, normalmente o critério utilizado é o de dividir os gastos fixos pela projeção de vendas. No caso de indústria, o rateio costuma ser feito dividindo o valor investido em equipamentos pela quantidade de itens que podem ser produzidos ao longo de sua vida útil – desse cálculo nasce a projeção da *depreciação* do maquinário.

Quem vende serviços tem dificuldade ainda maior para estabelecer seus preços. Em geral, cobra-se menos do que vale o trabalho. Uma técnica para ajudar a estimar o valor justo da hora de serviço de um profissional liberal é quantificar todo o investimento feito em seus estudos e dividir por uma estimativa de horas de atividade em que ele poderá colocar em prática esse conhecimento. A esse custo ainda devem ser somados os custos fixos de seu escritório, mesmo que seja um *home office*, para então fazer um rateio pelas horas médias mensais de trabalho.

Por exemplo: Você pretende estabelecer o preço de venda de um produto cujo custo de aquisição dos insumos para fabricação seja de R$ 100,00. As despesas variáveis, incluindo comissão, frete e impostos, serão de 25% do *preço de venda*. O rateio de custos fixos foi calculado em cerca de R$ 40,00 por unidade produzida. A margem de lucro acordada pelos sócios após pesquisa de mercado ficará em 20%. Esquematicamente, a formação do preço é feita da seguinte maneira:

|   | **Preço de Venda** | $P_v$ |
|---|---|---|
|   | Custo de Fabricação | R$ 100,00 |
| + | Despesas Variáveis | 25% x $P_v$ |
| + | Rateio de Custos Fixos | R$ 40,00 |
| + | Lucro Desejado | 20% x $P_v$ |

Fazendo os cálculos:

$$P_V = 100 + 25\% \times P_V + 40 + 20\% \times P_V$$
$$P_V = 140 + 45\% \times P_V = 140 + 0{,}45 \times P_V$$
$$P_V - 0{,}45 \times Pv = 140$$
$$P_V \times (1 - 0{,}45) = 140$$
$$P_V = 140 / 0{,}55$$
$$P_V = 254{,}55$$

Uma vez formulado o preço de venda, ainda não está concluído o processo de precificação. É importante realizar uma pesquisa junto à concorrência e também entre clientes potenciais do público-alvo, com o objetivo de verificar se o preço estimado está muito abaixo ou muito acima do mercado. Preços muito acima do mercado podem não ser bem aceitos, a não ser que haja uma estratégia adequada de posicionamento. Se não for esse o caso, reveja todos os processos para eliminar perdas e ineficiências que estejam puxando os preços para cima.

## 2) Quantificação do Ponto de Equilíbrio (breakeven point) da empresa

O Ponto de Equilíbrio de uma empresa é o volume de vendas que é preciso faturar para que a empresa cubra seus custos e despesas totais. Estar "em equilíbrio", portanto, significa estar em uma condição em que não são gerados nem lucros nem prejuízos.

O conhecimento do Ponto de Equilíbrio da empresa, chamado também por sua denominação em inglês, *Breakeven Point*, fornece parâmetros para responder a uma questão extremamente valiosa para o sucesso do negócio:

*Quanto é preciso produzir e/ou vender para que o negócio dê lucro?*

Os gráficos apresentados a seguir ilustram o raciocínio da definição de ponto de equilíbrio.

Os custos e despesas fixos, destacados na Figura 53 simplesmente como Custo Fixo, são praticamente uniformes para qualquer quantidade produzida/vendida. Se a empresa não vender nada ou se vender uma quantidade significativa, o valor gasto com tais custos e despesas será praticamente o mesmo.

**FIGURA 53** Custos e Despesas fixos da empresa

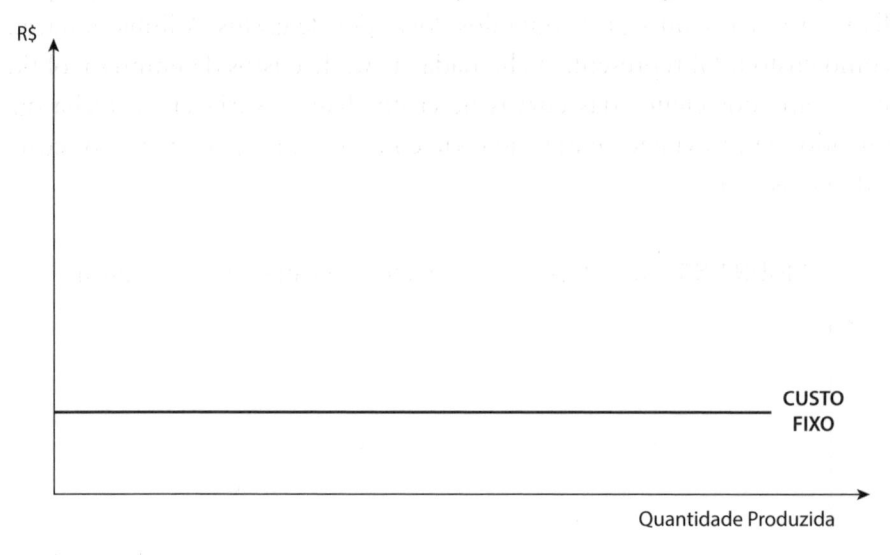

R$

——————————————————— CUSTO FIXO

Quantidade Produzida

Já os custos e despesas variáveis, destacados na Figura 54 como Custo Variável, mudam proporcionalmente à quantidade produzida/vendida. Se a empresa não vender nada, os custos e despesas variáveis serão nulos. Se cada item vendido tem um custo variável de R$ X, ao vender dois itens a empresa contabilizará um custo R$ 2X, se vender três itens o custo será de R$ 3X e assim por diante.

**FIGURA 54** Custos e Despesas variáveis da empresa

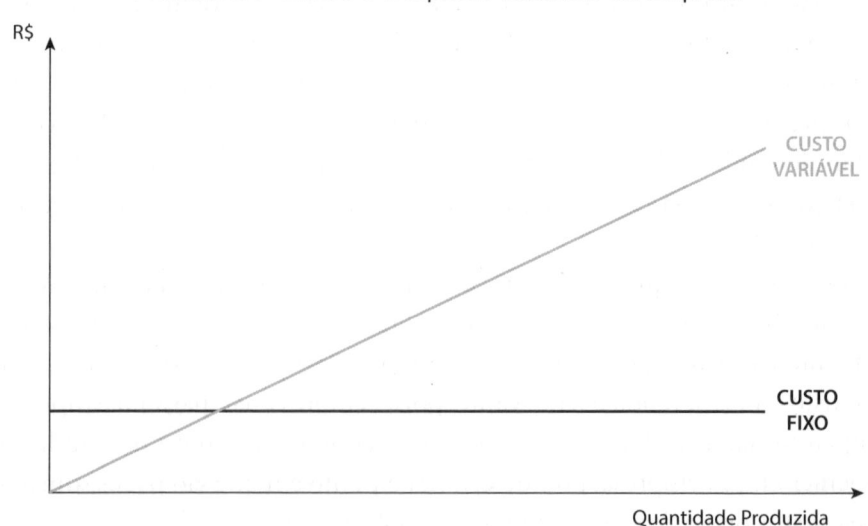

R$

CUSTO VARIÁVEL

CUSTO FIXO

Quantidade Produzida

O gráfico da Figura 55 mostra o efeito combinado dos custos e despesas fixos e variáveis, ou seja, a soma dos dois tipos de gastos. A linha destacada como custo total representa a chamada curva de custos da empresa, obtida pela soma dos efeitos das curvas de custos fixos e variáveis. Perceba que, quando a empresa não vende nada, são contabilizados pelo menos os custos e despesas fixos.

**FIGURA 55** Custo total dos gastos fixos e variáveis na empresa

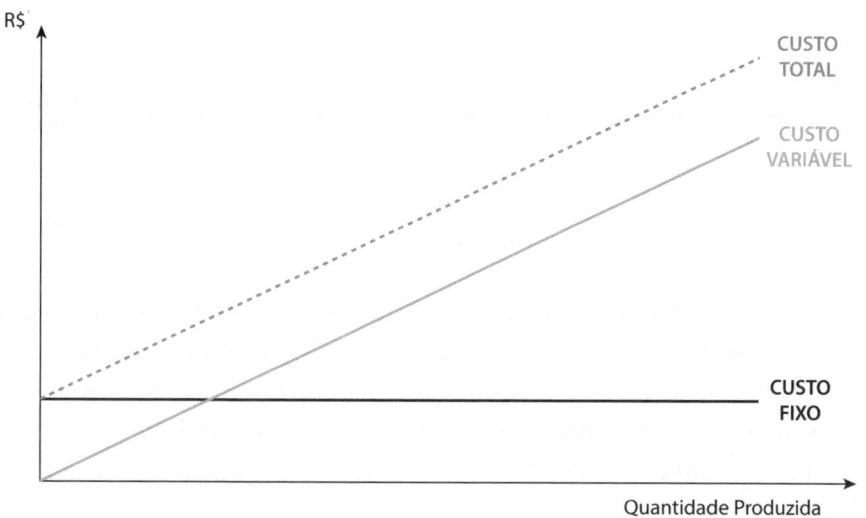

Quando inserimos no gráfico a curva de receita de vendas, obtida pela multiplicação do número de itens vendidos pelo valor de cada item, percebemos que, até determinado volume de produção/vendas, a empresa atua com prejuízo, pois a curva de custos totais está acima da curva de receitas totais de vendas. É somente após determinada quantidade produzida e vendida que a empresa começa a gerar lucros, pois as receitas superam os custos e despesas totais.

Esse ponto em que as receitas se igualam aos custos é o chamado Ponto de Equilíbrio da empresa, mostrado na Figura 56. Se estivermos analisando somente os gastos da operação, excluindo os efeitos de juros (o efeito dos impostos sobre a renda é irrelevante, pois a empresa não paga tais impostos enquanto não gera lucros), esse ponto é denominado Ponto de Equilíbrio Operacional da empresa, pois determina o ponto em que são pagos somente seus custos operacionais, resultando em LAJIR = 0.

**FIGURA 56** Ponto de Equilíbrio Operacional da empresa (LAJIR=0)

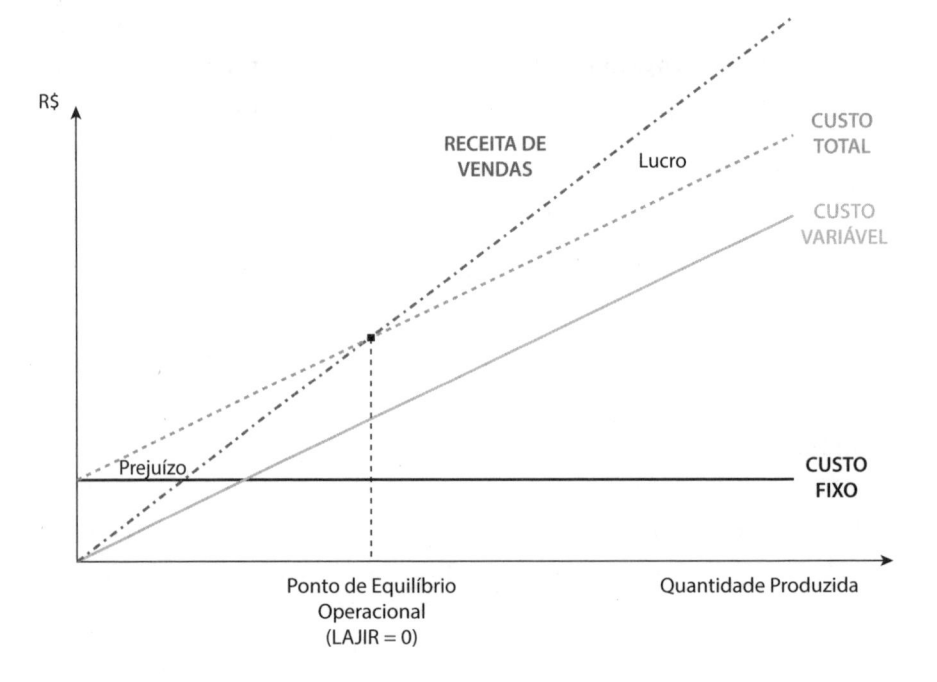

Em termos quantitativos, o ponto de equilíbrio operacional pode ser obtido segundo o seguinte raciocínio:

### Cálculo do Ponto de Equilíbrio Operacional

LAJIR = 0

P = preço de venda médio de cada item comercializado pela empresa

Q = quantidade de itens vendidos pela empresa

CV = custos e despesas variáveis da empresa

CF = custos e despesas fixos da empresa

Receita = P x Q

LAJIR = (P x Q) – (CV x Q) – CF

O Ponto de Equilíbrio é então calculado:

| | |
|---|---|
| **Receita** | **P x Q** |
| (–) Custos e despesas variáveis | **CV x Q** |
| **(=) Margem de contribuição** | |
| (–) Custos e despesas fixos | **CF** |
| **(=) LAJIR** | **P x Q – CV x Q – CF** |
| Para LAJIR = 0, | Q x (P – CV) – CF = 0 |
| **Ponto de Equilíbrio** | **Q = CF / (P – CV)** |

## O conceito de Margem de Contribuição

A Margem de Contribuição é um conceito que surge naturalmente da Análise Custo-Volume-Lucro quando custos e despesas fixos são separados de custos e despesas variáveis. Assim que são deduzidos os gastos variáveis das receitas, o resultado obtido é a *margem com a qual a venda contribui para o pagamento dos gastos fixos da empresa*. Daí o nome margem de contribuição.

| | |
|---|---|
| **Receita** | **P x Q** |
| (–) Custos e despesas variáveis | **CV x Q** |
| **(=) Margem de contribuição** | |
| (–) Custos e despesas fixos | **CF** |
| **(=) LAJIR** | **P x Q – CV x Q – CF** |

Na demonstração simplificada acima, percebemos a Margem de Contribuição total de um período de vendas, obtida pela fórmula:

$$MC_{TOTAL} = (P - CV) \times Q$$

A Margem de Contribuição unitária ($MC_U$) é a diferença entre a receita de venda unitária (P) e os custos e despesas variáveis (CV) por unidade produzida/comercializada:

$$MC_U = P - CV$$

Pode-se dizer que $MC_U$ é quanto cada unidade produzida/comercializada contribui para o pagamento dos custos fixos da empresa. Da mesma forma, $MC_U$ é o ganho variável obtido pela empresa a cada unidade vendida.

Com a conceituação de margem de contribuição, podemos reescrever a formulação geral para o ponto de equilíbrio Q da empresa da seguinte forma:

$$Q = CF / MC_U$$

O Ponto de Equilíbrio, ou seja, a quantidade que é preciso produzir/vender para que o negócio dê lucro resulta da divisão dos Custos e Despesas Fixos Totais pelo ganho unitário que se tem com a venda de cada item ou serviço.

**Atenção:** Margem de Contribuição é diferente de Lucro Bruto, pois resulta de uma diferente combinação entre custos e despesas na DRE. Porém, independentemente da organização adotada para o demonstrativo financeiro, o lucro gerado ao final deve ser o mesmo. Esquematicamente, as diferenças são as seguintes:

| DRE Gerencial | Análise Custo-Volume-Lucro |
|---|---|
| Receita (vendas ou serviços) | Receita (vendas ou serviços) |
| (–) Custos fixos e variáveis | (–) Custos e despesas variáveis |
| **(=) Resultado bruto** | **(=) Margem de contribuição** |
| (–) Despesas operacionais fixas e variáveis | (–) Custos e despesas fixos |
| **(=) LAJIR ou Lucro Operacional** | **(=) LAJIR ou Lucro Operacional** |

Para entender melhor os conceitos de Ponto de Equilíbrio e de Margem de Contribuição, apresento um exemplo:

Um empreendedor pretende montar diversas bancas de jornais e revistas. Ele quer fazer uma estimativa de quantas revistas precisa vender para atingir o ponto de equilíbrio. As revistas serão vendidas, em média, por R$ 9,99 cada uma, os custos operacionais variáveis são de R$ 8,24 por revista e os custos operacionais fixos anuais são de R$ 21.000,00.

O empreendedor tem duas dúvidas a resolver:

*1) Qual o ponto de equilíbrio operacional da banca, em revistas?*
**R.:** *O ponto de equilíbrio operacional é obtido pela formulação*

Q = CF / (P − CV)
Q = 21.000 / (9,99 − 8,24) = 21.000 / 1,75
Q = 12.000 revistas

Portanto, é preciso vender pelo menos 1.000 revistas por mês para que a empresa não gere prejuízo.

*2) Se a estimativa de vendas para o ponto escolhido, segundo pesquisa feita, é de 2.000 revistas por mês, ele deve entrar no negócio?*
**R.:** *A resposta a essa pergunta não é tão simples.*

Ao vender 2.000 revistas por mês, ou 24.000 por ano (lembre-se de que estamos medindo os custos fixos totais ao ano), o lucro do empreendedor será obtido por um dos seguintes caminhos:

**Pela DRE**

| | | | |
|---|---|---|---|
| Receita | = P x Q | = R$ 9,99 x 24.000 | = R$ 239.760 |
| (−) CV | = CV x Q | = R$ 8,24 x 24.000 | = R$ 197.760 |
| = Margem de contribuição total | = | R$ 1,75 x 24.000 | = R$ 42.000 |
| (−) CF | | | = R$ 21.000 |
| = LAJIR | | | = R$ 21.000 |

**Pela margem de contribuição**

Se, com a venda de 1.000 revistas por mês, ou 12.000 por ano, a banca paga todos os custos fixos, ao vender 24.000 revistas por ano, o lucro do empreendedor será exatamente a soma das margens que ele ganha com as revistas vendidas além do ponto de equilíbrio. Como o objetivo é vender 12.000 revistas a mais do que o necessário, seu LAJIR será de 12.000 x R$ 1,75 = R$ 21.000,00 ao ano.

Por qualquer dos dois caminhos escolhidos, percebemos que o LAJIR obtido é de R$ 21.000,00 por ano, ou R$ 1.750,00 por mês. Isso é bom? A resposta é: *depende!*

Só o empreendedor pode responder se R$ 1.750,00 mensais são suficientes para que ele pague os impostos devidos e seja remunerado, com o restante, pelos investimentos feitos no negócio. Se o valor do investimento feito para ter a banca for desprezível e ele não tiver alternativa melhor para investir seus recursos e seu tempo, pode ser uma opção interessante.

## Diferentes Pontos de Equilíbrio

Quando utilizamos a formulação Q = CF / MCU, devemos entender que *o total de custos e despesas fixos dividido pelo ganho com cada venda unitária representa a quantidade de itens a serem comercializados para que tais gastos fixos sejam cobertos.* Em outras palavras, para descobrir a quantidade mínima a vender para cobrir os custos, basta dividir tais custos pelo ganho unitário com cada item vendido.

Contudo, o conceito de ponto de equilíbrio não se restringe apenas ao equilíbrio entre contas operacionais (custos e despesas). A ferramenta possui utilização bem mais abrangente, prestando-se ao estudo de vários níveis de objetivos na empresa.

Se temos como objetivo atingir um determinado resultado, basta considerar tal objetivo como um custo fixo e aplicar novamente a formulação, da qual teremos uma tradução desse objetivo financeiro em termos de metas de vendas. É desse raciocínio que surgem novos conceitos de ponto de equilíbrio, como exemplificado a seguir.

*Ponto de Equilíbrio Financeiro*

Como o conceito de ponto de equilíbrio operacional abrange a totalidade de custos e despesas operacionais da empresa, incluindo os gastos com depreciações e amortizações, esse ponto é conhecido também como ponto de equilíbrio contábil. Lembre-se de que a empresa não efetua desembolsos quando incidem os custos de depreciação, uma vez que tais custos são "pagos" com o consumo de Ativos.

Na impossibilidade de se atingir o ponto de equilíbrio operacional ou contábil, muitos gestores gostariam de saber, ao menos, qual deveria ser a quantidade mínima de itens a produzir/comercializar para evitar complicações com seus credores, ou seja, para que a receita de vendas seja suficiente para pagar os compromissos relacionados a custos e despesas.

É dessa necessidade que surge o conceito de ponto de equilíbrio financeiro. Nele, são considerados como custos e despesas fixos apenas aquelas contas cujos pagamentos sairão do caixa da empresa. Desprezam-se, para essa análise, as amortizações e depreciações identificadas na DRE.

$$Q_{FIN} = (CF - \text{Depreciações e Amortizações}) / MC_U$$

*Ponto de Equilíbrio Econômico*

Da mesma forma que um gestor pode desejar excluir da análise do ponto de equilíbrio aqueles custos e despesas que não afetarão o caixa, é possível que ele deseje considerar um resultado esperado como um compromisso fixo da empresa.

Esse raciocínio estabelece que não basta pagar os custos totais para a empresa estar economicamente saudável. É preciso garantir também um lucro mínimo esperado pelos sócios, e esse lucro compromissado pode ser tratado, na análise, como um custo da empresa.

Surge, então, o conceito de ponto de equilíbrio econômico:

$$Q_{ECON} = (CF + \text{Lucro Mínimo Esperado}) / MC_U$$

*Exemplo:*

Uma empresa possui custo fixo de R$ 6.000,00. Seu produto, vendido a R$ 40,00 a unidade, possui custo unitário igual a R$ 10,00.

a) *Qual a quantidade Q a ser vendida para se atingir o ponto de equilíbrio operacional?*

**R.:** *QOPERAC = 6.000/(40 − 10) = 200 unidades*

Em termos de receita de vendas, temos 200 x R$ 40,00 = R$ 8.000,00.
Isso significa que, para obter LAJIR = 0, teremos de vender 200 unidades.

b) *Sabendo que, do total de custos fixos, R$ 1.500,00 correspondem à depreciação, qual seria o ponto de equilíbrio financeiro?*

**R.:** Desconsiderando a depreciação, a empresa terá de vender:

$Q_{FIN} = (6.000 - 1.500)/30 = 150$ unidades
Em termos de receita de vendas, temos 150 x R$ 40,00 = R$ 6.000,00.

c) *Considerando que o LAJIR mínimo requerido de maneira a se remunerar o capital investido deva ser de R$ 3.000,00, qual seria o ponto de equilíbrio econômico?*

**R.:** Somamos aos custos e despesas fixos a remuneração do capital investido:

$Q_{ECON} = (6.000 + 3.000)/30 = 300$ unidades

Em termos de receita de vendas, temos 300 x R$ 40,00 = R$ 12.000,00.

## 3) IDENTIFICAÇÃO DO GRAU DE ALAVANCAGEM A QUE A EMPRESA ESTÁ EXPOSTA

Uma vez segregados os gastos fixos dos variáveis e identificado(s) o(s) ponto(s) de equilíbrio da empresa, fica evidente que os modelos de negócio com maior participação de gastos fixos estarão com maior dificuldade de alcançar seu ponto de equilíbrio e, consequentemente, expostos a um maior nível de risco.

Cabe a quem toma decisões na empresa agir no sentido de diminuir ou de dar maior aproveitamento aos gastos fixos, com o objetivo de diminuir também a exposição dos resultados às oscilações normais dos negócios.

Essa análise é complementada pela identificação do grau de alavancagem a que a empresa está exposta. Por mais que dívidas (capital de terceiros) sejam oportunas e necessárias ao melhor aproveitamento dos ativos da empresa, o excesso delas pode ser sinônimo de problemas quando as vendas caem. O indicador de alavancagem da empresa, conhecido tecnicamente como Multiplicador de Alavancagem, será analisado no capítulo seguinte.

# 8
# A arte de ler números

Todas as informações financeiras que foram discutidas até aqui não são apenas cálculos que se prestam a comparações puras, diretas e quantitativas de empresas ou de situações diferentes de uma mesma empresa. Não é suficiente ter bons números e relatórios financeiros bem elaborados. Para que boas decisões sejam tomadas, é fundamental saber fazer a leitura e a análise desses números e relatórios, e entender quais são as comparações de indicadores-chave relevantes, para que se possa conduzir os negócios de maneira objetiva e ágil. É dessa leitura que trataremos a seguir.

## A melhor empresa para iniciar um negócio

Vamos considerar o exemplo de uma empresa que começou com Ativos Totais ou Patrimônio Líquido de R$ 100 mil, conforme discutido anteriormente, quando explicamos o conceito de LAJIR. Imaginemos que existam duas situações, mostradas na Figura 57. Observando os relatórios financeiros da Situação A e da Situação B, qual você escolheria para iniciar seu negócio de R$ 100 mil?

*Análise da situação A: Sem dívidas*

- Utilizando apenas capital próprio, ou seja, sem dívidas, e Patrimônio Líquido de R$ 100 mil, a empresa adotou uma estratégia de alocação de seus recursos (não temos como dizer qual) que resultou em vendas de R$ 200 mil.
- Se essa Receita ou faturamento é muito ou pouco, não se pode dizer nada sobre isso, pois não fizemos nenhuma comparação com empresas similares.

**FIGURA 57** Comparativo de situações financeiras A e B de uma empresa

| | Situação A | | Situação B | |
|---|---|---|---|---|
| | Ativo R$ 100 mil | PL R$ 100 mil | Ativo R$ 100 mil | Passivo R$ 50 mil / i = 5% a.p. |
| | | | | PL R$ 50 mil |

| | Situação A | Situação B |
|---|---|---|
| Receita | 200 mil | 200 mil |
| – CPV | – 120 mil | – 120 mil |
| Lucro Bruto | 80 mil | 80 mil |
| – Despesas Comerc. | – 30 mil | – 30 mil |
| – Despesas Adm. | – 40 mil | – 40 mil |
| LAJIR | 10 mil | 10 mil |
| – Desp. Financeiras | 0 | – 2,5 mil |
| LAIR | 10 mil | 7,5 mil |
| – PIR | – 4 mil | – 3 mil |
| Lucro Líquido | 6 mil | 4,5 mil |

- Para alcançar esse volume de Receitas, a empresa vendeu produtos que custaram R$ 120 mil (Custo do Produto Vendido = R$ 120 mil), resultando em Lucro Bruto de R$ 80 mil.
- As despesas feitas pela empresa para chegar a esse resultado bruto foram de R$ 70 mil, sendo R$ 30 mil em despesas comerciais e R$ 40 mil em despesas administrativas. O lucro obtido com essa operação, chamado de LAJIR ou Lucro Operacional, foi de R$ 10 mil, ou 5% do faturamento. Mais uma vez, não é possível afirmar se é muito ou pouco sem saber qual é o padrão do segmento de mercado dessa empresa.
- Como a empresa não possui dívidas (Passivo), não paga juros sobre dívidas, portanto não possui despesas financeiras. Com isso, o lucro tributável ou LAIR (Lucro Antes do pagamento de Impostos sobre o Resultado) mantém-se igual ao LAJIR.
- Para esse exemplo e para simplificar os cálculos, considerei que os Impostos sobre o Resultado são de 40% do lucro tributável. Com isso, a provisão para pagamento de impostos sobre o resultado é de R$ 4 mil (40% de R$ 10 mil). Chama-se provisão porque o valor não

foi pago, apenas reservado – ou provisionado – para pagamento na devida data futura.
- Resultado: Lucro Líquido de R$ 6 mil. Se é muito ou pouco, também não podemos dizer nada sem uma comparação com outro momento da empresa ou com outras empresas do mesmo segmento.

*ANÁLISE DA SITUAÇÃO B: COM DÍVIDAS*

- Nada muda nos Ativos. Trata-se do mesmo conjunto de Ativos, com a mesma estratégia de investimentos. Portanto, resulta no mesmo volume de vendas, com a mesma Receita.
- Como se trata da mesma estratégia, o CPV é o mesmo e as despesas comerciais e administrativas continuam as mesmas, resultando no mesmo LAJIR. Em outras palavras, na Situação B temos a mesma empresa que na Situação A, do ponto de vista dos negócios e de sua operação.
- Porém na Situação B optou-se por captar metade do capital necessário, entrando apenas R$ 50 mil de investimento dos sócios do negócio.
- O financiamento desse capital de terceiros foi negociado a juros de 5% ao período. O Balanço Patrimonial mostra o retrato da empresa no início do período, e a Demonstração de Resultados mostra a projeção de lucros ao longo daquele período. Com taxa de juros de 5% sobre R$ 50 mil, surge uma despesa financeira (juros) de R$ 2,5 mil (ou 5% vezes R$ 50 mil) que não existia na Situação A.
- A despesa financeira diminui o lucro tributável (LAIR) para R$ 7,5 mil.
- Os 40% de impostos sobre o lucro resultam em R$ 3 mil – se há menos lucro, pagam-se menos impostos – e o Lucro Líquido da Situação B fica em R$ 4,5 mil (R$ 1,5 mil a menos do que na Situação A).

**A melhor escolha:** Qual das duas situações você escolheria para iniciar seu negócio? Faço essa mesma pergunta em meus cursos e palestras, e muitos participantes tendem a responder que a Situação A, de maior lucro, é melhor do que a Situação B. Essa resposta, *equivocada*, parte da ideia, *também equivocada*, de que a empresa é criada para gerar lucros. Mas lembre-se:

*O objetivo de toda empresa é gerar rentabilidade.*

Como vimos, toda empresa é criada para gerar rentabilidade sobre o investimento feito por seus donos, e quem já pensa com esse *mindset* certamente identificou a Situação B como melhor do que a Situação A.

A Situação B é mais eficiente do ponto de vista do investimento porque resulta em um ganho de R$ 4,5 mil para apenas R$ 50 mil investidos, enquanto que ao investir o dobro do valor o resultado aumentaria para apenas R$ 6 mil, ou seja, 100% a mais de investimento para obter 50% a mais de resultado. Lembre-se que o custo dos outros R$ 50 mil captados já está embutido no lucro.

Mesmo que o investidor disponha dos R$ 100 mil, ele poderia compensar o lucro menor da Situação B de duas maneiras:

- Investindo os outros R$ 50 mil no sistema financeiro, caso os investimentos lhe tragam rendimentos iguais ou maiores do que os R$ 1,5 mil que a Situação A proporciona.
- Iniciando a atividade de DUAS empresas, cada uma com capital próprio de R$ 50 mil, que juntas lhe trariam um ganho total de R$ 9 mil (duas vezes R$ 4,5 mil).

Repare que, na Situação B, não levei em consideração vantagens de economias de escala que poderiam acontecer ao montar duas empresas. Afinal, com duas empresas do mesmo segmento:

- Seriam dois Ativos de R$ 100 mil, com o dobro de relevância no mercado e maior força contra concorrentes.
- Com a devida pesquisa de mercado e posicionamento, poderíamos chegar ao dobro de faturamento, resultando no dobro de fatia de mercado.
- Com maior volume de produtos vendidos, a relação e a negociação com fornecedores seria mais forte, resultando em maiores descontos ou melhores condições nas compras.
- Parte das despesas comerciais e administrativas poderia ser rateada entre as duas empresas, diminuindo as despesas totais e impactando positivamente o lucro (mostrarei mais sobre o rateio de custos fixos ao tratar sobre Capital de Giro adiante).
- A empresa teria maior relevância e impacto social ao gerar mais empregos, movimentar mais a economia (aluguéis, aquisições, fretes) e gerar mais impostos.

Esse é um exemplo de quando o endividamento, ou captação de recursos, se transforma em uma alavanca para que seus negócios tenham maior alcance, maior impacto social, maior força e ainda maiores lucros. Por isso, costuma-se dizer que fazer esse tipo de endividamento é alavancar os negócios da empresa.

Cuidado, porém, com as conclusões obtidas dessa análise! A Situação B não foi considerada a melhor simplesmente porque foi contraída uma dívida no lugar de injetar mais capital próprio. Não foi a dívida que fez com que a situação B fosse a mais rentável, mas sim o fato de *a dívida ser suficientemente barata*.

## Dívidas desejáveis e indesejáveis

Façamos mais uma análise para entender quando a dívida deixa de ser um bom negócio. Vamos considerar agora uma terceira situação, a Situação C para essa empresa, mostrada na Figura 58.

**FIGURA 58** Comparativo de situações financeiras A, B e C de uma empresa

| | Situação A | | Situação B | | Situação C | |
|---|---|---|---|---|---|---|
| | Ativo R$ 100 mil | PL R$ 100 mil | Ativo R$ 100 mil | Passivo R$ 50 mil  i = 5% a.p. / PL R$ 50 mil | Ativo R$ 100 mil | Passivo R$ 50 mil  i = 12% a.p. / PL R$ 50 mil |
| Receita  – CPV | | | 200 mil  – 120 mil | | 200 mil  – 120 mil | | 200 mil  – 120 mil |
| Lucro Bruto  – Despesas Comerc.  – Despesas Adm. | | | 80 mil  – 30 mil  – 40 mil | | 80 mil  – 30 mil  – 40 mil | | 80 mil  – 30 mil  – 40 mil |
| LAJIR  – Desp. Financeiras | | | 10 mil  0 | | 10 mil  – 2,5 mil | | 10 mil  – 6 mil |
| LAIR  – PIR | | | 10 mil  – 4 mil | | 7,5 mil  – 3 mil | | 4 mil  – 1,6 mil |
| Lucro Líquido | | | 6 mil | | 4,5 mil | | 2,4 mil |

*ANÁLISE DA SITUAÇÃO C: COM JUROS MAIS ALTOS*

- Temos, na Situação C, exatamente a mesma empresa, com a mesma estratégia de alocação de seus R$ 100 mil em Ativos, conduzindo a mesma operação que resulta na mesma receita, mesmos custos e despesas operacionais e mesmo LAJIR de R$ 10 mil.

- Temos também a mesma estrutura de capital: 50% próprio e 50% de terceiros.
- Porém na Situação C há uma diferença apenas no custo de captação dos recursos de terceiros. Em comparação com a Situação B, os juros subiram de 5% para 12% ao período.
- Com essa taxa, as despesas financeiras sobem para R$ 6 mil, reduzindo o lucro tributável para R$ 4 mil. Tirando os 40% de impostos sobre o lucro, restam R$ 2,4 mil.

**A melhor escolha:** Entre a possibilidade de montar, com um capital de R$ 100 mil, duas empresas da Situação C que resultem em lucros de R$ 4,8 mil (duas vezes R$ 2,4 mil) e montar uma empresa da Situação A que resulte em ganhos de R$ 6 mil, é melhor enxugar a operação e colher mais resultados na Situação A.

### Dívidas caras e baratas

Para aprofundar essa nossa análise básica, estudemos um último cenário, a Situação D.

**FIGURA 59** Comparativo de situações financeiras A e D de uma empresa

|  | Situação A | Situação D |
|---|---|---|
|  | Ativo R$ 100 mil / PL R$ 100 mil | Ativo R$ 100 mil / Passivo R$ 50 mil i = 10% a.p. / PL R$ 50 mil |
| Receita | 200 mil | 200 mil |
| – CPV | – 120 mil | – 120 mil |
| Lucro Bruto | 80 mil | 80 mil |
| – Despesas Comerc. | – 30 mil | – 30 mil |
| – Despesas Adm. | – 40 mil | – 40 mil |
| LAJIR | 10 mil | 10 mil |
| – Desp. Financeiras | 0 | – 5 mil |
| LAIR | 10 mil | 5 mil |
| – PIR | – 4 mil | – 2 mil |
| Lucro Líquido | 6 mil | 3 mil |

*Análise da situação D: Com juros intermediários*

- Imagine agora a mesma empresa, com a mesma estratégia de alocação de seus R$ 100 mil em Ativos, conduzindo a mesma operação que resulta na mesma receita, mesmos custos e despesas operacionais e mesmo LAJIR de R$ 10 mil.
- Temos também a mesma estrutura de capital: 50% próprio e 50% de terceiros.
- Como na Situação C, o custo de captação dos recursos de terceiros é maior do que na Situação A, só que agora os juros ao período são de 10%.

**A melhor escolha:** O que você escolheria: iniciar com o capital de R$ 100 mil apenas uma empresa que gere lucro de R$ 6 mil, ou duas empresas que gerem lucros de R$ 3 mil cada? Se as reflexões feitas até agora foram bem compreendidas, você deve ter respondido corretamente que a Situação D é melhor que a Situação A. Aqui, levamos em conta o aspecto da relevância maior do negócio e a possibilidade de otimizar custos e despesas em razão da maior escala, como também ponderamos sobre a oportunidade de diluir o risco.

Sua empresa é um investimento. Investimentos pedem *diversificação*. Um corolário essencial no mundo dos investimentos é:

*Nunca coloque todos os ovos em uma cesta só.*
*Investimentos pedem diversificação.*

Você pode diversificar os riscos de seu negócio de diferentes maneiras, por exemplo trabalhando com diferentes segmentos de produtos ou serviços, atendendo a mercados diferentes ou evitando concentrar suas compras em poucos fornecedores ou suas vendas em poucos compradores.

Mas, se há também a possibilidade de dividir seu negócio em dois sem perdas e com possibilidade de otimização nos gastos, opte pela divisão. Com duas empresas, você diminui os riscos de fracasso de seus negócios, pois pode testar estratégias diferentes para avaliar qual funciona melhor e sem comprometer a totalidade de seu investimento.

Estratégias ruins são descartadas e boas estratégias são consolidadas em um ritmo mais ágil do que em um negócio só, pois você tem a sua disposição dois laboratórios diferentes. Com isso, a curva de aprendizagem avança mais rapidamente, contribuindo para a solidez de seus negócios.

## Análise de Demonstrações Financeiras

Da mesma forma que a contabilidade é a ciência utilizada para padronizar as informações financeiras e permitir que os fluxos de recursos das empresas sejam compreendidos por pessoas de diferentes áreas de negócios, de diferentes países, de empresas de diferentes portes e das mais diversas estratégias, adota-se a chamada Análise de Demonstrações Financeiras para avaliar o desempenho desses negócios variados.

As técnicas aqui apresentadas são maneiras padronizadas e simplificadas de identificar elementos-chave de desempenho e de avaliar a evolução das finanças dos negócios. Servem para avaliar as condições financeiras de um pequeno *food truck* e também de um gigante da internet como o Facebook.

Quando eu, Gustavo Cerbasi, iniciei meus investimentos em ações, boa parte das ferramentas que utilizei para entender a saúde e as perspectivas das empresas em que investia foram as que listo aqui, para você entender mais do seu próprio negócio. Trataremos de dois tipos de análises:

- Leitura Relativa dos Demonstrativos (dividida em Decomposição dos Demonstrativos e Tendência Histórica)
- Análise de Indicadores de Desempenho Econômico-Financeiro

Existem outras técnicas, mas as tratadas aqui são suficientes para o gerenciamento cotidiano de qualquer empresa, de qualquer porte e de qualquer segmento de atuação.

### Leitura Relativa dos Demonstrativos

A Leitura Relativa utiliza o que se convencionou chamar de Decomposição dos Demonstrativos, ou Análise Vertical, e Tendência Histórica, ou Análise Horizontal. São técnicas muito simples e você, provavelmente, já as utilizou mesmo sem saber.

Por exemplo, o que você acha de uma empresa que tenha Passivo total de R$ 5 bilhões? Muito? Pouco? A resposta sempre será "depende". Se o Ativo total da empresa for de R$ 100 bilhões, então a proporção dada pelas dívidas em relação aos Ativos da empresa será de apenas 5%. Esse tipo de comparação é fruto de uma Análise Vertical, quando se identifica a conta de interesse *em termos relativos*, comparando-a aos Ativos totais da empresa.

No entanto, uma empresa com R$ 5 bilhões em dívidas e R$ 6 bilhões em Ativos causa apreensão, pois as dívidas representam 83% dos Ativos. Ainda com esses dados, precisaremos avançar mais um pouco nossa análise. Para uma empresa industrial, não é comum ter 83% dos Ativos financiados com dívida. Contudo, para um banco, é absolutamente razoável que, a cada R$ 1,00 no Ativo, R$ 0,83 tenham como origem dívidas com seus clientes.

Outra comparação comumente feita é a do crescimento de vendas de um ano para outro. Esse tipo de comparação faz parte da Análise Horizontal. Por exemplo, imagine que sua empresa tenha vendido em determinado ano R$ 20 milhões e no ano seguinte, R$ 22 milhões. O crescimento foi de 10%, certo?

Sem dúvida, o crescimento nas suas vendas foi de 10%. Isso é bom ou ruim? Para responder a essa pergunta, devemos considerar os seguintes aspectos.

- O crescimento no setor foi acima ou abaixo de 10%? Perceba como é importante comparar seu crescimento de vendas com o do setor. Se seu crescimento for inferior ao do mercado, você está perdendo participação de mercado (*market share*), algo para se pensar cuidadosamente a respeito.
- A inflação no mesmo período foi acima ou abaixo de 10%? Se a inflação no período for superior a 10%, significa que você vendeu menos em termos reais. O importante é que você sempre faça sua comparação de evolução de vendas, custos e lucro em termos reais, isto é, descontando a inflação. Por exemplo, se suas vendas cresceram 20% e a inflação no mesmo período foi de 15%, o crescimento real de suas vendas será de aproximadamente 5%. Esse mesmo raciocínio é válido quando você for comparar a evolução de seus custos, despesas, lucro, etc.

Outra situação: imagine uma empresa que compre mercadorias para depois revendê-las. Essa empresa comercial experimentou aumento do Custo da Mercadoria Vendida (CMV) de 30% de um ano para outro. Esse dado é fruto de uma Análise Horizontal. Porém, essa informação é boa ou ruim? Vejamos alguns pontos a serem considerados.

- O CMV ter aumentado de um ano para outro pode simplesmente significar que a empresa vendeu mais mercadorias. Em razão disso, é preciso verificar se as vendas líquidas aumentaram mais ou menos de 30% no mesmo período. Caso elas tenham crescido mais de 30%, o

aumento de 30% no CMV é muito bem-visto, pois a firma foi capaz de trabalhar com margens mais altas.
- Entretanto, se a empresa experimentou aumento de 30% no CMV e aumento de 20% nas vendas, ela teve de sacrificar sua margem de lucro bruto, o que não é bom.

## Decomposição dos Demonstrativos ou Análise Vertical

Na Análise Vertical comparamos quanto, em termos relativos, uma conta patrimonial ou de resultado representa do todo. A técnica pode ser usada para conhecimento de aspectos econômicos de diferentes setores, ou de diferentes empresas do mesmo setor de atividade.

O método consiste em padronizar todas as contas dos demonstrativos como percentuais de uma mesma base. Por exemplo, contas do Balanço Patrimonial são expressas como percentuais do Ativo Total, enquanto que contas da DRE são expressas como percentuais da Receita de Vendas.

Os objetivos dessa análise são:

- Descrever em termos relativos as estratégias de distribuição de recursos
- Identificar os itens mais importantes
- Facilitar a leitura e a interpretação dos demonstrativos financeiros

**FIGURA 60** Análise Vertical

Cia. Exemplo S/A

| ATIVO | $ | %V | PASSIVO | $ | %V |
|---|---|---|---|---|---|
| Caixa e Bancos | 3.000 | 3% | Fornecedores | 30.0000 | 30% |
| Aplic. Financeiras | 10.000 | 10% | Salários/Encargos | 5.000 | 5% |
| Duplicatas a Receber | 15.000 | 15% | Emprést. e Financ. | 20.000 | 20% |
| Estoques | 50.000 | 50% | Outros Passivos | 10.000 | 10% |
| Realizável Não Circ. | 2.000 | 2% | Exigível Não Circul. | 5.000 | 5% |
| Imobilizado | 20.000 | 20% | Patrimônio Líquido | 30.000 | 30% |
| Total Ativo | 100.000 | 100% | Total Passivo + PL | 100.000 | 100% |

No exemplo da Figura 60, as colunas indicadas por %V representam a Análise Vertical. Perceba que, literalmente, decompus o Balanço Patrimonial para identificar as contas mais relevantes. Uma vez realizados os cálculos, fazemos comparações do tipo:

- quanto o Ativo Circulante representa do Ativo total;
- quanto o Ativo Imobilizado representa do Ativo total;
- quanto a conta Fornecedores representa do Passivo + Patrimônio Líquido;
- quanto o Patrimônio Líquido representa do Passivo + Patrimônio Líquido.

Aplicando a técnica para uma DRE, teríamos algo como:

**FIGURA 61** Análise Vertical em uma DRE

Cia. Exemplo S/A

| RESULTADO | $ | %V |
|---|---|---|
| Receita de Vendas | 100.000 | 100% |
| Custo do Produto Vendido | (70.000) | 70% |
| **Lucro Bruto** | **30.000** | **30%** |
| Despesas Operacionais | (10.000) | 10% |
| **LAJIR** | **20.000** | **20%** |
| Despesas Financeiras | (8.000) | 8% |
| Provisão Imp. de Renda CSLL | (4.000) | 4% |
| **Lucro Líquido** | **8.000** | **8%** |

Ao decompor a DRE, encontramos respostas do tipo:

- Quanto o lucro bruto da empresa representa da receita líquida
- Quanto o lucro operacional (LAJIR) da empresa representa da receita líquida
- Quanto o lucro líquido da empresa representa da receita líquida
- Quanto as despesas operacionais da empresa representam da receita líquida
- Quanto as despesas financeiras da empresa representam da receita líquida

## Tendência Histórica ou Análise Horizontal

Por intermédio da Análise Horizontal, procura-se identificar o comportamento ou mudanças anormais das contas ao longo do tempo. Normalmente, utiliza-se um ou mais dos seguintes métodos:

- Tendência de longo prazo: evolução ao longo de diversos períodos
- Variações anuais: números-índices ou variações percentuais de determinadas contas
- Taxas de crescimento anual: taxas anuais médias
- Variação da composição vertical: análise combinada das duas técnicas aqui descritas

Basicamente, a técnica é utilizada para identificar mudanças de estratégias de uso e de captação de recursos e as principais mudanças que impactam o resultado.

**FIGURA 62** Análise Horizontal

Cia. Exemplo S/A

| ATIVO | $T_0$ | | $T_1$ | | | |
|---|---|---|---|---|---|---|
| | $ | %V | $ | %V | %H | AC |
| Caixa e Bancos | 3.000 | 3% | 6.000 | 5% | 100% | 2% |
| Aplicações Financ. | 10.000 | 10% | 11.000 | 9% | 10% | -1% |
| Duplic. a Receber | 15.000 | 15% | 20.000 | 17% | 33% | 2% |
| Estoques | 50.000 | 50% | 60.000 | 50% | 20% | 0% |
| Outros Recebíveis | 2.000 | 2% | 1.000 | 1% | -50% | -1% |
| Permanente | 20.000 | 20% | 22.000 | 18% | 10% | -2% |
| Total Ativo | 100.000 | 100% | 120.000 | 100% | 20% | 0% |

No exemplo da Figura 62, $T_0$ refere-se ao período inicial e $T_1$ ao período final. As colunas indicadas por %V representam a Análise Vertical de cada período. Já a coluna %H representa a Análise Horizontal de um período para outro, enquanto que a coluna AC (de Análise Combinada) mostra a variação da composição vertical.

O uso dos dois métodos de análise (Horizontal e Combinada) mostra-se eficaz para dirimir dúvidas que poderiam resultar do uso isolado de apenas um dos métodos. Repare que pela Análise Horizontal (%H) poderíamos concluir que a disponibilidade de caixa dobrou (100%) de um período para outro. Porém, ao avaliar a Análise Combinada, percebemos que, pelo fato de a empresa ter crescido de um ano para outro (ativos aumentam de R$ 100 mil para R$ 120 mil), a participação da conta Caixa e Bancos cresce de 3% para 5% dos Ativos totais.

Pelo mesmo raciocínio, podemos dizer que as Aplicações Financeiras diminuíram de um ano para outro, apesar de terem aumentado em valor. Na verdade, elas perderam participação na estratégia total de investimentos da empresa.

Repare como a Análise Combinada, mais uma vez, torna mais esclarecedora a interpretação da DRE nesse exemplo em que ocorre um crescimento de 20% nas vendas da empresa.

**FIGURA 63** Combinação das Análises Horizontal e Vertical

| RESULTADO | $T_0$ | | $T_1$ | | | |
|---|---|---|---|---|---|---|
| | $ | %V | $ | %V | %H | AC |
| Receita de Vendas | 100.000 | 100% | 120.000 | 100% | 20% | 0% |
| Custo do Produto Vendido | (70.000) | -70% | (90.000) | -75% | 29% | 5% |
| **Lucro Bruto** | **30.000** | **30%** | **30.000** | **25%** | **0%** | **-5%** |
| Despesas Operacionais | (10.000) | -10% | (13.000) | -11% | 30% | 1% |
| **LAJIR** | **20.000** | **20%** | **17.000** | **14%** | **-15%** | **-6%** |
| Despesas Financeiras | (8.000) | -8% | (5.000) | -4% | 38% | -4% |
| Provisão Imp. de Renda CSLL | (4.000) | -4% | (2.000) | -2% | -50% | -2% |
| **Lucro Líquido** | **8.000** | **8%** | **10.000** | **8%** | **25%** | **0%** |

Cabe destacar que, apesar de bastante simples, a análise da tendência histórica aplicada a qualquer situação sofre algumas limitações, como:

- Dependência da base escolhida: quem garante que não foi um período atípico para servir de base de comparação?
- Quando a base é um número pequeno, a tendência fica distorcida (qualquer variação sobre base próxima de zero é muito grande)
- Valores negativos precisam ser adequadamente comparados
- A técnica oferece pouca ou nenhuma explicação sobre as razões das tendências – apenas servem de alerta para se investigarem mais a fundo as principais mudanças

## O que os indicadores contam sobre a saúde da empresa

Os Indicadores de Desempenho Econômico-Financeiro são ferramentas para interpretação dos Demonstrativos Financeiros, proporcionando uma base de avaliação de desempenho universal, isto é, válida para empresas de qualquer porte. No caso de empresas de capital aberto, é essencial para a avaliação de ações. Seu uso auxilia a administração financeira das empresas no sentido de quantificar o sucesso ou insucesso dos investimentos feitos. Ao utilizar os indicadores baseados em critérios racionais e objetivos, as reflexões sobre a saúde da empresa e suas consequentes decisões são adotadas com critérios justos para aqueles que são cobrados pelo desempenho do negócio.

A padronização proporcionada pelo uso da contabilidade é a base para uma quantificação eficiente dos índices, o que permite tanto a comparação do desempenho da mesma empresa em diferentes períodos quanto a comparação entre diferentes empresas, independentemente da área de atuação.

Você saberia, por exemplo, responder qual das alternativas de investimentos dentre as opções apresentadas a seguir é melhor para o empreendedor?

- Montar um restaurante ou uma rede de carrinhos de cachorro-quente?
- Construir um edifício comercial ou comprar várias pequenas lojas em um centro comercial?
- Construir um hotel de luxo em uma grande cidade ou várias pousadas em cidades de veraneio?
- Abrir uma franquia ou atuar em vendas diretas?
- Montar uma fábrica de equipamentos eletrônicos ou abrir várias casas lotéricas?
- Abrir uma nova filial da empresa ou manter-se no atual patamar de negócios?

Independentemente de qual seja a melhor alternativa dentre as apresentadas, a melhor forma de identificar a mais adequada é por meio de um estudo de suas projeções financeiras. Assim, é possível analisar a provável saúde financeira das empresas (utilizando os indicadores apresentados neste capítulo) e compará-las em termos de rentabilidade como investimento (conforme será visto adiante), sempre considerando o aspecto risco.

Os índices aqui estudados medem relações-chave entre custos e benefícios proporcionados, facilitando a comparação dessas relações ao longo do tempo, inclusive entre diferentes empresas. Devido a sua simplicidade e praticidade de uso, a avaliação de índices econômico-financeiros constitui a técnica mais empregada para a análise da situação contábil-financeira das empresas.

## Os principais indicadores financeiros

Há quatro categorias principais de indicadores financeiros:

1) **Índices de Rentabilidade** – indicam o retorno que os sócios da empresa têm de seu investimento de capital.
2) **Índices de Atividade** – indicam a eficiência da empresa na administração de prazos de pagamento e recebimento.
3) **Índices de Liquidez** – indicam a capacidade de pagamento da empresa.
4) **Índices de Endividamento** – indicam o comprometimento dos Ativos da empresa em relação a terceiros.

Os diferentes tipos de indicadores financeiros interessam a diferentes espectadores que se relacionam com a empresa:

- Os *sócios* da empresa certamente têm maior interesse no acompanhamento dos *índices de rentabilidade*, pois é por meio deles que obtêm respostas quanto ao desempenho de seus investimentos.
- Os gestores da *área financeira*, responsáveis pela pontualidade nos pagamentos e recebimentos e na administração do caixa, voltarão suas atenções para os *índices de atividade*.
- Já os *credores*, interessados na capacidade da empresa de honrar seus compromissos, procuram basear a concessão de seus créditos na análise dos *índices de liquidez* e *endividamento* de seus devedores e potenciais devedores.

### 1) Índices de Rentabilidade

Também conhecidos por índices de *performance*, proporcionam uma indicação da eficiência no uso dos investimentos feitos na empresa. Os investimentos feitos na empresa são seus Ativos, alocados segundo a estratégia descrita do lado esquerdo do balanço patrimonial. Por isso, o índice de Retorno sobre Ativos é a base da análise de rentabilidade da empresa.

Lembre-se que nem todo Ativo da empresa é formado por investimentos de seus sócios, uma vez que parte dos recursos é financiada por terceiros. O índice de Retorno sobre o Patrimônio Líquido visa auferir, portanto, a rentabilidade específica dos recursos investidos na empresa por seus sócios.

## a) Retorno Sobre Ativos (RSA)

O Índice de Retorno Sobre Ativos (RSA), também conhecido por sua denominação em inglês *Return On Assets* (ROA), proporciona uma indicação da eficiência no uso dos investimentos totais feitos nos Ativos da empresa.

$$RSA = \frac{Lucro\ Líquido}{Ativo\ Total}$$

O entendimento da utilidade desse indicador baseia-se na interpretação pura da empresa como um investimento, caracterizado pelo volume e pela estratégia de Ativos alocados. A ideia é a de que os Ativos têm como objetivo gerar receitas e, indiretamente, resultar em lucros. Quanto mais Ativos, maior é o lucro esperado.

Se, de um ano para outro, a empresa aumentou seus investimentos em Ativos, espera-se que os lucros tenham aumentado em igual ou maior proporção, indicando que houve aumento de rentabilidade.

*Exemplo:*

**FIGURA 64** Retorno Sobre Ativos (RSA)

|  | 2015 | 2016 |  |
|---|---|---|---|
| Lucro líquido | 15.000 | 32.000 |  |
| Ativos totais | 100.000 | 200.000 | Avaliação técnica |
| RSA | 15% a.a. | 16% a.a.* | POSITIVA |

* Para cada R$ 100,00 em investimentos no Ativo, a empresa gerou R$ 16,00 de lucro líquido.

## b) Margem Líquida ou Retorno Sobre Vendas (RSV)

O Índice de Retorno sobre Vendas (RSV), mais conhecido por Margem Líquida, mostra qual percentual do faturamento é realizado como lucro líquido. O índice de Margem Líquida não é propriamente um indicador de rentabilidade, mas, sim, um dos elementos da Análise Vertical da DRE, pois quantifica o lucro como percentual do faturamento da empresa.

$$RSV = \frac{Lucro\ Líquido}{Vendas}$$

Considero vendas como a receita líquida da empresa. Mas, é importante frisar, em sua empresa você deve decidir se utiliza como referência a receita líquida ou a receita bruta. Lembre-se que o objetivo dos indicadores é identificar com agilidade as informações-chave que interessam àqueles que tomam decisões.

O termo "margem", empregado na denominação do índice, refere-se à ideia de percentual das vendas que resta como lucro. Por essa razão, o termo é utilizado também nas análises verticais de outros tipos de lucro obtidos:

- **Margem bruta** = Lucro bruto/Vendas líquidas.
- **Margem operacional** = Lucro operacional/Vendas líquidas (ou LAJIR/Vendas).
- **Margem antes de tributos** = LAIR/Vendas líquidas.
- **Margem líquida** = Lucro líquido/Vendas líquidas.

Uma elevada (ou crescente) margem de lucro é desejável. Se, de um ano para outro, a empresa aumentou suas vendas, espera-se que os lucros tenham aumentado em igual ou maior proporção, indicando que houve um aumento de margem.

*Exemplo:*

**FIGURA 65** Margem Líquida ou Retorno Sobre Vendas (RSV)

|  | 2015 | 2016 |  |
|---|---|---|---|
| Vendas | 100.000 | 150.000 |  |
| Lucro líquido | 10.000 | 13.500 | Avaliação técnica |
| MARGEM LÍQUIDA | 10% | 9%* | NEGATIVA |

* Para cada R$ 100,00 de receita de vendas, R$ 9,00 restaram como lucro líquido.

c) Giro de Ativos

O índice de Giro de Ativos, também conhecido por Índice de Produtividade de Ativos, proporciona uma indicação da utilização dos Ativos, além da "intensidade de utilização de capital" do negócio.

$$\text{Giro do Ativo} = \frac{\text{Vendas}}{\text{Ativo Total}}$$

Quanto mais a empresa produzir com menos Ativos, melhor. Assim como o índice de Retorno Sobre Vendas, o Giro de Ativos não é exatamente um indicador de rentabilidade, porém é um componente importante na análise do retorno sobre Ativos, conforme veremos a seguir. Empresas com elevado Giro de Ativos são aquelas que dependem de pouco capital para gerar um faturamento significativo. Veja dois exemplos:

- **O taxista** – com pouco ou nenhum capital e, consequentemente, pouco ou nenhum Ativo, ele pode começar seu dia de trabalho assumindo o compromisso de pagar a diária do veículo ao frotista. Seu faturamento no dia será muito superior ao capital de que ele dispunha ao começar o dia.
- **Empresas de consultoria** – muitos consultores trabalham nas dependências de seus clientes, o que os dispensa de ter Ativos para administrar. Seu capital é basicamente intelectual e o faturamento do trabalho de consultoria tende a ser muito superior ao capital investido.

Um elevado (ou crescente) Giro de Ativos é desejável. Se, de um ano para outro, a empresa aumentou seus investimentos em Ativos, espera-se que as vendas da empresa tenham aumentado em igual ou maior proporção, indicando que houve um aumento de giro de Ativos ou produtividade.

*Exemplo:*

**FIGURA 66** Giro de Ativos

|  | 2015 | 2016 |  |
|---|---|---|---|
| Ativos totais | 1.000.000 | 1.200.000 |  |
| Vendas | 1.200.000 | 1.800.000 | Avaliação técnica |
| GIRO DE ATIVOS | 1,2 | 1,5* | POSITIVA |

\* Para cada R$ 1,00 investido em Ativos, a empresa faturou R$ 1,50 em vendas.

## Análise da Rentabilidade Sobre Ativos

O objetivo da inclusão dos indicadores de margem e giro no tópico de índices de rentabilidade está na íntima relação que eles têm entre si na

Análise de Rentabilidade Sobre Ativos. Essa relação surgiu quando estudiosos técnicos financeiros, preocupados em explicar aos sócios da empresa em que trabalhavam os motivos de variações na rentabilidade dos Ativos, perceberam que seria muito conveniente incluir as vendas em tais explicações.

Foram criados, então, indicadores que dessem maior transparência ao entendimento da rentabilidade, originando a formulação que ficou conhecida como Modelo DuPont de Análise de Rentabilidade (em homenagem à empresa em que trabalhavam os criadores do conceito):

**FIGURA 67** Modelo DuPont de Análise de Rentabilidade

$$\frac{\text{Lucro Líquido}}{\text{Ativos}} = \frac{\text{Lucro Líquido}}{\text{Vendas}} \times \frac{\text{Vendas}}{\text{Ativos}}$$

$$\text{RSA} = \text{Margem} \times \text{Giro}$$

Por meio desse modelo, constata-se que a Rentabilidade Sobre Ativos pode ser explicada também pelo produto entre margem líquida e giro de Ativos. Isso explica por que empresas com características operacionais distintas podem conseguir resultados similares de maneiras diferentes.

Repare no gráfico da Figura 68. Ele representa uma curva chamada de *isorrentabilidade*, sobre a qual estão descritas todas as empresas do mercado que possuem uma mesma Rentabilidade Sobre seus Ativos (mesmo RSA). Tomando como exemplo empresas de um mesmo setor, de varejo, observamos que existem aquelas que obtêm sua rentabilidade com reduzida margem (em função da concorrência), mas sobrevivem graças ao elevado giro de Ativos de seus negócios, reflexo de maciços esforços comerciais de vendas das empresas mais eficientes do setor.

No entanto, há empresas como as lojas de conveniência (padarias e lojas de postos de combustível) que trabalham com preços elevados justamente para compensar o menor número de clientes ou, em alguns casos, para não motivar um movimento de consumidores que a pequena loja não possa comportar. Seus clientes sabem que estão pagando mais caro e, por isso, compram apenas o estritamente necessário.

**FIGURA 68** Curva de Isorrentabilidade

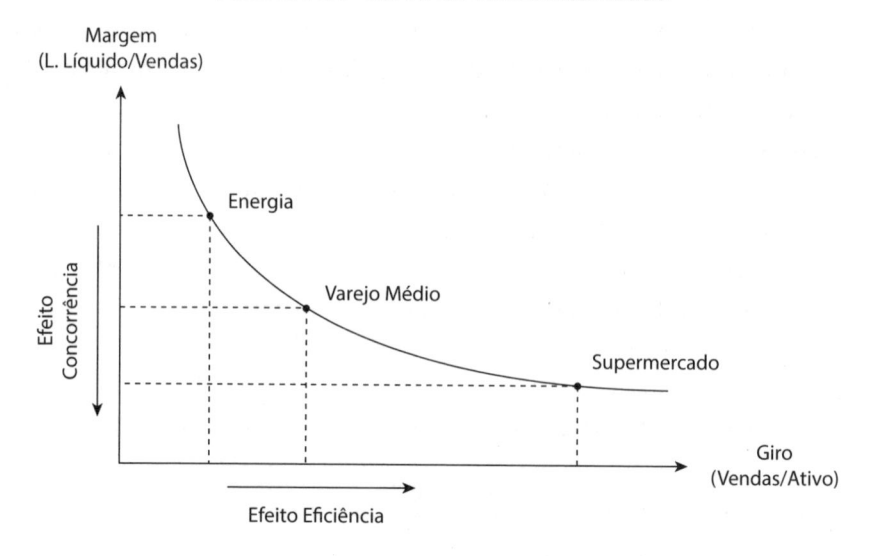

Se o sócio da empresa não estiver satisfeito com a rentabilidade obtida, ele pode escolher um dos seguintes caminhos para melhorar seu Retorno Sobre Ativos, como é mostrado na Figura 69:

**FIGURA 69** Caminhos para melhorar o Retorno Sobre Ativos

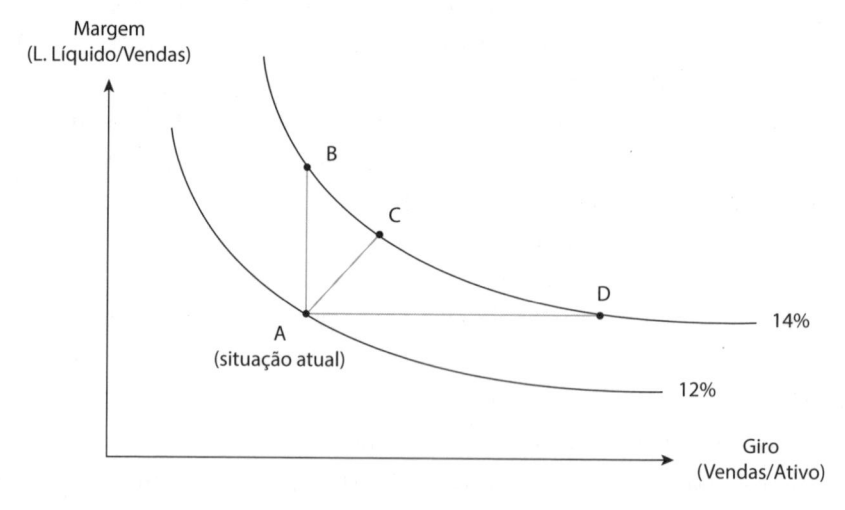

- **Atuar na melhoria de sua margem** (caminho de A para B). Existem duas maneiras de melhorar a margem. A primeira delas é elevar os preços, o que pode ser um verdadeiro "tiro no pé", pois as vendas ten-

dem a cair e, com elas, o giro de Ativos. A outra maneira é reduzir custos e despesas, atuando na eficiência de gastos da empresa. Normalmente, o corte de gastos começa pelas despesas que menos contribuem para a geração de receitas.
- **Atuar na melhoria de seu giro** (caminho de A para D). Também aqui existem duas formas de atuar, porém ambas tendem a ser bastante eficientes. A primeira é com melhorias nas práticas comerciais, incrementando as vendas da empresa sem demandar mais investimentos. Outro caminho, para empresas que se veem em um mercado saturado e sem espaço para crescer, é procurar reduzir o volume de Ativos sem comprometer as vendas. Nesse momento entram políticas de otimização de caixa, de redução de estoques e de substituição de Ativos próprios por serviços terceirizados por operadores logísticos.
- **Atuar simultaneamente na margem e no giro** (caminho de A para C). Obviamente, se existem melhorias a fazer em várias frentes, será mais produtivo fazê-las concomitantemente.

d) Retorno Sobre o Patrimônio Líquido (RSPL)

O Índice de Retorno sobre o Patrimônio Líquido (RSPL), também conhecido por sua denominação em inglês *Return On Equity* (ROE), proporciona uma indicação da eficiência no uso dos investimentos feitos especificamente pelos sócios na empresa, investimentos que são descritos nas contas do Patrimônio Líquido da empresa.

O entendimento da utilidade desse indicador baseia-se na interpretação da empresa como um investimento pessoal de seus sócios. A leitura do indicador permite a identificação de qual foi a rentabilidade obtida pelo PL durante determinado período

$$RSPL = \frac{Lucro\ Líquido}{PL}$$

Da mesma maneira que foi desenvolvido o raciocínio da análise de rentabilidade sobre Ativos, a análise do retorno sobre o PL requer um detalhamento maior para viabilizar explicações sobre mudanças nos resultados, principalmente quando elas são negativas.

Os mesmos objetivos ligados ao desenvolvimento do Modelo DuPont motivaram estudos que deram origem a sua evolução, resultando no chamado Modelo DuPont para Análise de Rentabilidade sobre o PL. Segundo esse modelo, a formulação do índice de retorno sobre o PL pode ser reescrita da seguinte maneira:

$$\frac{\text{Lucro Líquido}}{\text{PL}} = \frac{\text{Lucro Líquido}}{\text{Vendas}} \times \frac{\text{Vendas}}{\text{Ativos}} \times \frac{\text{Ativos}}{\text{Patr. Líquido}}$$

Da formulação, surge um novo indicador, denominado Multiplicador de Alavancagem, o qual expressa a relação entre Ativos e PL, mais precisamente indicando quantas vezes os Ativos são maiores que o PL.

Quanto maior o Multiplicador de Alavancagem, melhor para os sócios, pois isso indica que a empresa está conseguindo operar com participação maior de capital de terceiros ou, em outras palavras, indica que a empresa está conseguindo obter crédito no mercado. Veja na Figura 70 um exemplo.

**FIGURA 70** Multiplicador de Alavancagem

|  | 2015 | 2016 |  |
|---|---|---|---|
| Ativos totais | 1.000.000 | 1.200.000 |  |
| Patrimônio líquido | 400.000 | 600.000 | Avaliação técnica |
| MULTIPLICADOR DE ALAVANCAGEM | 2,5 | 2,0* | NEGATIVA |

* Para cada R$ 1,00 investido pelos sócios no PL, a empresa possui R$ 2,00 em Ativos.

Quando afirmo que quanto maior a alavancagem, melhor para o acionista, refiro-me à questão da rentabilidade. Vale ressalvar que quanto maior a alavancagem da empresa, maior é o risco em função da grande exposição aos credores.

Com o entendimento do conceito de multiplicador de alavancagem, a formulação do retorno sobre o PL pode ser reescrita, simplesmente, como:

$$\text{RSPL} = \text{Margem} \times \text{Giro} \times \text{Alavancagem}$$
$$\text{ou}$$
$$\text{RSPL} = \text{RSA} \times \text{Alavancagem}$$

Repare que, se cancelarmos os numeradores e denominadores da fórmula que resultam em valor unitário, obtemos a mesma formulação original:

$$\frac{\text{Lucro Líquido}}{\text{PL}} = \frac{\text{Lucro Líquido}}{\cancel{\text{Vendas}}} \times \frac{\cancel{\text{Vendas}}}{\cancel{\text{Ativos}}} \times \frac{\cancel{\text{Ativos}}}{\text{Patr. Líquido}}$$

Qual seria o motivo para complicar uma formulação que parece tão simples? A razão está na preocupação em explicar os fenômenos que causam as mudanças, apontando, preferencialmente, os responsáveis pelos indicadores que prejudicam o desempenho da empresa. Esse tipo de detalhamento da informação é especialmente importante em empresas de grande porte:

**FIGURA 71** Retorno Sobre Patrimônio Líquido

$$\text{RSPL} = \frac{\text{Lucro Líquido}}{\text{Vendas}} \times \frac{\text{Vendas}}{\text{Ativos}} \times \frac{\text{Ativos}}{\text{Patr. Líquido}}$$

**Retorno sobre Patrimônio Líquido**

| Margem Líquida | Giro do Ativo | Multiplicador de Alavancagem |
|---|---|---|
| Responsabilidade sobre custos compete à área de **Produção**; sobre despesas, à área de **Administração** | Responsabilidade sobre Vendas compete à área **Comercial** | Responsabilidade sobre captação de recursos compete à área **Financeira** |

Ao saber, por exemplo, que a rentabilidade sobre o PL da empresa caiu de um ano para outro em razão do comprometimento de um determinado índice que compõe o modelo, será mais fácil focar a busca de solução do problema, evitando despender esforços em áreas que estão atuando satisfatoriamente.

*2) Índices de Atividade*

Os Índices de Atividade são baseados nas políticas comerciais, na capacidade de negociação e na eficiência interna da empresa, que se refletem na utilização de seu Capital de Giro.

Os indicadores estudados nessa categoria demonstram a eficiência da empresa na administração dos recursos, em especial de seu Fluxo de Caixa, e referem-se aos ciclos operacional e de caixa da empresa, abordados anteriormente.

**FIGURA 72** Índices de Atividade

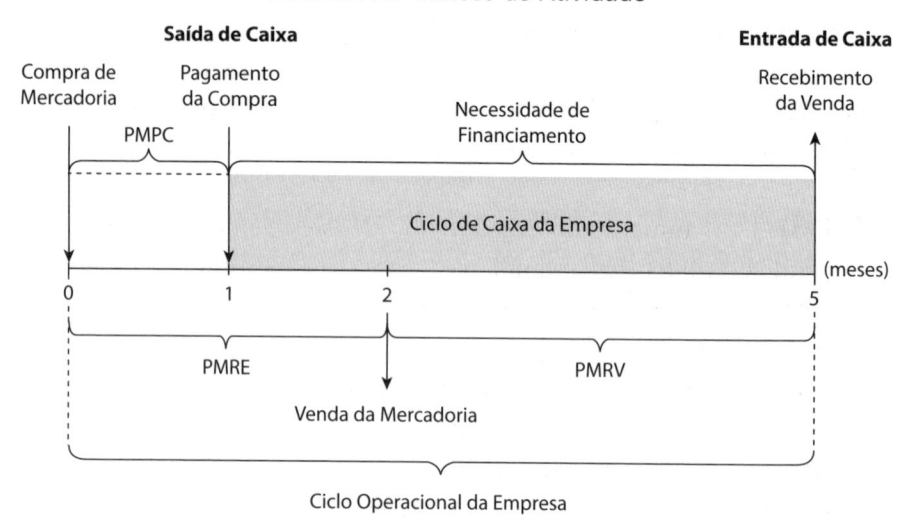

```
        Saída de Caixa                                    Entrada de Caixa
Compra de    Pagamento                                    Recebimento
Mercadoria   da Compra       Necessidade de               da Venda
       PMPC                  Financiamento

                         Ciclo de Caixa da Empresa
                                                                      (meses)
   0           1           2                               5
              PMRE                    PMRV
                    Venda da Mercadoria

                  Ciclo Operacional da Empresa
```

Ao analisar os ciclos operacional e de caixa da empresa, podemos identificar dois tipos de ciclo de caixa:

- **Ciclos de caixa favoráveis** – quando a empresa possui um Prazo Médio de Pagamento de Compras (PMPC) superior ao ciclo operacional (PMRE + PMRV), significa que, em média, os recebimentos de cada operação acontecem antes dos pagamentos referentes à mesma operação. O dinheiro entra em caixa antes de sair. Esse tipo de empresa não possui problemas de administração do Capital de Giro: quanto mais vender, mais tranquilidade financeira será percebida. Hipermercados e algumas empresas de serviços funcionam dessa maneira.
- **Ciclos de caixa desfavoráveis** – quando a empresa possui um Prazo Médio de Pagamento de Compras (PMPC) inferior ao ciclo operacional (PMRE + PMRV), significa que, em média, os recebimentos de cada operação acontecem depois dos pagamentos referentes à mesma operação. É o caso mais comum entre as diversas empresas, em que é recomendável dedicar especial atenção à administração do Capital de Giro: quanto mais vender, maior será a necessidade de financiamento do ciclo de caixa da empresa. Em geral, é assim que funcionam a indústria e o comércio em geral.

O objetivo ao calcular os prazos que compõem os ciclos de caixa e operacional é identificar se, com o passar do tempo, a empresa está reunindo as condições necessárias para diminuir seu ciclo de caixa, caso ele seja desfavorável, ou aumentá-lo, caso seja favorável.

As ações para melhorar ou diminuir a necessidade de financiamento do ciclo de caixa da empresa dependem, em grande parte, de melhorias em suas políticas internas e da otimização da movimentação de seus recursos:

- **PMPC** – o aumento do Prazo Médio de Pagamento de Compras depende do poder de barganha nas negociações. Empresas com grande força econômica conseguem impor a seus fornecedores os prazos de pagamento que lhes são mais adequados. Empresas sem o mesmo poder de barganha precisam dedicar-se durante anos a formar um bom relacionamento e um bom volume de compras com seus fornecedores, visando aumentar seu crédito.
- **PMRE** – para diminuir o Prazo Médio de Rotação dos Estoques da empresa é preciso investir na melhoria de sua *logística* interna, atuando no sentido de buscar maior eficiência na entrega de compras, no processo de produção e na administração de estoques para venda. É com esse objetivo que muitas empresas concentram esforços em sua área de logística.
- **PMRV** – a diminuição do Prazo Médio de Recebimento de Vendas não depende apenas da política comercial da empresa, pois, muitas vezes, nos vemos obrigados a acompanhar as condições que a concorrência oferece aos clientes. Entretanto, um sistema de cobrança e recebimentos eficiente tende a resultar em pequenos ganhos no PMRV que, dependendo do volume da operação, podem significar a diferença entre evitar o prejuízo e obter lucro.

Os índices de atividade podem ser calculados como mostrado a seguir.

Prazo Médio de Rotação de Estoques (PMRE) e Giro de Estoques

O Prazo Médio de Rotação de Estoques representa o prazo médio, em dias, que dura o estoque mantido na empresa. Em outras palavras, representa o intervalo médio, em dias, entre as renovações de estoques da empresa. É calculado a partir da seguinte relação:

$$PMRE = \frac{\text{Estoque Médio}}{\text{CMV}} \times 365$$

Utilizando o conceito de PMRE, é possível entender a ideia de giro de estoques, que reflete a intensidade de uso e renovação de estoques ao longo de um período. Para obter o giro de estoques em um ano, utilizamos a seguinte equação:

$$\text{Giro de Estoques} = \frac{365}{\text{PMRE}}$$

A seguir, na Figura 73, um exemplo em que o PMRE obtido para 2016 foi de dez dias, podemos afirmar que o giro de estoques é de 36,5 vezes, indicando que a empresa efetua aproximadamente 36 renovações de estoques por ano.

**FIGURA 73** PMRE

|  | 2015 | 2016 |  |
|---|---|---|---|
| Estoques | 200.000 | 100.000 |  |
| CMV | 3.650.000 | 3.650.000 | Avaliação técnica |
| PRAZO MÉDIO ESTOQUES | 20 dias | 10 dias* | POSITIVA |

\* A empresa mantém, em média, estoques equivalentes a dez dias de consumo.

Prazo Médio de Recebimento das Vendas (PMRV) e Giro de Recebíveis

O Prazo Médio de Recebimento representa o prazo médio, em dias, que a empresa concede a seus clientes a cada venda efetuada, ou seja, representa o tempo médio que a empresa demora para receber os recursos provenientes de uma venda. É calculado a partir da seguinte relação:

$$\text{PMRV} = \frac{\text{Recebíveis Médios}}{\text{Vendas Brutas}} \times 365$$

Por meio do conceito de PMRV, é possível entender a ideia de giro de recebíveis, que reflete a intensidade de recebimento e renovação de recebíveis ao longo de um período. Para obter o giro de recebíveis em um ano, utilizamos a seguinte notação:

$$\text{Giro de Recebíveis} = \frac{365}{\text{PMRV}}$$

A seguir, na Figura 74, um exemplo em que o PMRV obtido para 2016 foi de 25 dias, podemos afirmar que o giro de recebíveis é de 14,6 vezes, indicando que a empresa renova seus recebimentos cerca de 14 vezes ao longo do ano.

**FIGURA 74** PMRV

|  | 2015 | 2016 |  |
|---|---|---|---|
| **Duplicatas a receber** | 400.000 | 500.000 | |
| **Vendas** | 7.300.000 | 7.300.000 | Avaliação técnica |
| **PRAZO MÉDIO DE RECEBIMENTO** | 20 dias | 25 dias* | **NEGATIVA** |

* A empresa oferece, em média, prazo de 25 dias para seus clientes pagarem.

Prazo Médio de Pagamento (PMPC) e Giro de Fornecedores

O Prazo Médio de Pagamento representa o prazo médio, em dias, que a empresa obtém de seus fornecedores para o pagamento de suas compras, isto é, representa o prazo médio que a empresa tem para saldar os compromissos contraídos a cada operação de compra. É calculado a partir da seguinte relação:

$$PMPC = \frac{Fornecedores\ Médios}{Compras} \times 365$$

Ao contrário das informações necessárias para o cálculo dos demais índices financeiros, o PMPC utiliza uma informação que não está disponível nas principais demonstrações financeiras, que é a conta Compras. No entanto, é possível inferir o volume de compras de uma empresa utilizando outras informações disponíveis nas demonstrações. Parte-se da premissa de que tudo o que é comprado pela empresa é contabilizado nos estoques pelo valor de aquisição.

É sabido que o estoque de uma empresa, ao final de um ano, resulta de:

$$Estoque_{FINAL} = Estoque_{INICIAL} + Compras - CMV$$

Como o nível de estoques é obtido dos balanços patrimoniais (o estoque inicial é o mesmo que o estoque final do ano anterior) e o CMV (consumo de estoque no ano) é obtido da DRE, o volume de compras anual é obtido pela diferença:

$$\text{Compras} = \text{CMV} + \text{Estoque}_{\text{FINAL}} - \text{Estoque}_{\text{INICIAL}}$$

ou

$$\text{Compras} = \text{CMV} + \text{Variação de Estoques de um período para outro}$$

Em situações em que a variação de estoques de um ano para outro é pouco significativa, podemos desprezar esse efeito e considerar que Compras = CMV.

Utilizando o conceito de PMPC, é possível entender a ideia de giro de fornecedores, que reflete a intensidade de pagamento e renovação de duplicatas a pagar a fornecedores ao longo de um período. Para obter o giro de fornecedores em um ano, utilizamos a seguinte notação:

$$\text{Giro de Fornecedores} = \frac{365}{\text{PMPC}}$$

A seguir, na Figura 75, um exemplo em que o PMPC obtido para 2016 foi de dez dias, podemos afirmar que o giro de fornecedores é de 36,5 vezes, indicando que a empresa renova suas duplicatas a pagar cerca de 36 vezes ao longo do ano.

**FIGURA 75** PMPC

|  | 2015 | 2016 |  |
|---|---|---|---|
| Fornecedores | 200.000 | 100.000 | |
| Compras | 3.650.000 | 3.650.000 | Avaliação técnica |
| **PRAZO MÉDIO DE PAGAMENTO** | 20 dias | 10 dias* | **NEGATIVA** |

* A empresa obtém, em média, prazo de dez dias para pagamento a seus fornecedores.

*3) Índices de Liquidez*

Os índices de liquidez demonstram a capacidade da empresa de honrar seus compromissos, medida por sua capacidade de pagamento de curto e longo prazos. Basicamente, a liquidez se avalia comparando os potenciais recursos disponíveis para pagamentos e as obrigações previstas para consumir tais recursos. Teoricamente, uma empresa que tem um volume de recursos a receber maior do que o volume de compromissos a pagar goza de boa liquidez.

Os indicadores de liquidez comumente utilizados são os chamados Índices de Liquidez Corrente, Liquidez Seca e Liquidez Imediata.

Liquidez Corrente

O índice de liquidez corrente mede a relação entre Ativos Circulantes e Passivos Circulantes da empresa. Supondo que as obrigações descritas no Passivo Circulante vençam a curto prazo e que os recursos do Ativo Circulante também se transformarão em caixa a curto prazo, um índice superior a 1 indica boa capacidade de pagamento da empresa.

$$\text{Liquidez Corrente} = \frac{\text{Ativo Circulante}}{\text{Passivo Circulante}}$$

Para potenciais credores, como bancos e fornecedores, é uma estimativa simples da capacidade de crédito das empresas, pois lhes garante, em caso de dificuldades no pagamento, a possibilidade de recuperação de recursos na forma de recebíveis ou de estoques.

**FIGURA 76** Liquidez Corrente

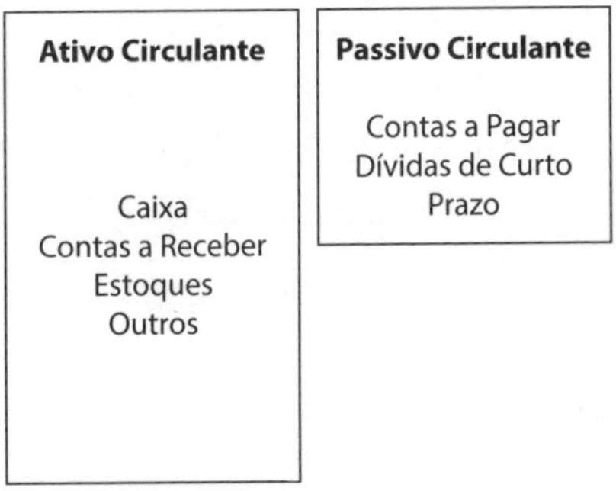

| Ativo Circulante | Passivo Circulante |
|---|---|
| Caixa<br>Contas a Receber<br>Estoques<br>Outros | Contas a Pagar<br>Dívidas de Curto Prazo |

*Exemplo:*

**FIGURA 77** Cálculo de Liquidez Corrente

|  | 2015 | 2016 |  |
|---|---|---|---|
| Ativo circulante | 110.000 | 150.000 |  |
| Passivo circulante | 100.000 | 100.000 | Avaliação técnica |
| **LIQUIDEZ CORRENTE** | 1,1 | 1,5* | **POSITIVA** |

* Para cada R$ 1,00 em dívidas circulantes (curto prazo), a empresa tem R$ 1,50 em Ativos Circulantes.

## Liquidez Seca

Em muitas situações, principalmente em análise de crédito por parte dos bancos, não é desejável considerar que os estoques de seus devedores sejam identificados como garantias de pagamento, devido à inconveniência e ao custo de repasse de mercadorias. Se todas as empresas vendessem mercadorias ou produtos de fácil comercialização ou revenda sem comprometimento do valor do estoque, tal problema não existiria.

Para avaliar a capacidade de pagamento de uma empresa sem considerar seus estoques, utiliza-se um indicador conhecido como índice de Liquidez Seca, que compara os Ativos Circulantes sem os estoques com os Passivos Circulantes da empresa. Há consenso entre especialistas que, para uma boa avaliação da capacidade de pagamento da empresa, o índice de liquidez seca deve ser igual ou maior que 1, ou seja, Caixa e Recebíveis pelo menos iguais ao total de Passivos Circulantes.

$$\text{Liquidez Seca} = \frac{\text{Ativo Circulante} - \text{Estoques}}{\text{Passivo Circulante}}$$

## Liquidez Imediata

Uma medida de liquidez mais adequada para avaliações de curtíssimo prazo é o chamado índice de liquidez imediata, que compara os recursos disponíveis da empresa (Caixa, Bancos e Aplicações Financeiras) com os compromissos de curto prazo, identificando o grau de cobertura desses compromissos.

$$\text{Liquidez Imediata} = \frac{\text{Disponível}}{\text{Passivo Circulante}}$$

*Exemplo:*

**FIGURA 78** Cálculo de Liquidez Imediata

|  | 2015 | 2016 |  |
|---|---|---|---|
| Disponibilidades | 100.000 | 150.000 |  |
| Passivo circulante | 400.000 | 600.000 | Avaliação técnica |
| **LIQUIDEZ IMEDIATA** | 25% | 25%* | **SEM ALTERAÇÃO** |

\* A empresa possui condições de liquidar imediatamente 25% de todos os seus compromissos de curto prazo.

## Cuidados ao interpretar os Índices de Liquidez

Os indicadores de liquidez sinalizam, de forma quantitativa, uma possível capacidade de honrar compromissos, porém podem também refletir exatamente o oposto dessa condição. Isso porque, teoricamente, de acordo com a Figura 79, basta ter Ativos Circulantes sensivelmente superiores aos Passivos Circulantes que a empresa apresentará bons indicadores de liquidez.

Existem duas condições para uma empresa apresentar Ativos Circulantes em maior volume que os Passivos Circulantes:

a. Em virtude de suas qualidades e competências:

- Os recursos necessários ao Capital de Giro são obtidos por meio de linhas de crédito de longo prazo.
- As margens de lucro da empresa são elevadas, fazendo com que os recebíveis sejam consideravelmente superiores aos respectivos pagamentos de custos.
- Pelo mesmo motivo anterior, a empresa possui grande capacidade de acumular lucros, o que lhe permite trabalhar com elevado nível de estoques lastreado por recursos próprios da empresa.
- A empresa aufere elevados ganhos financeiros de suas vendas a prazo, o que faz do acúmulo de recebíveis um grande negócio.

b. Em decorrência de suas deficiências e fragilidades:

- Os Ativos Circulantes podem ser elevados em função de um planejamento de estoques ineficiente, que gera um indesejável volume de encalhes.
- Os Ativos Circulantes podem ser elevados em função de políticas inadequadas de crédito e cobrança, que causam indesejáveis atrasos nos recebimentos de seus clientes.
- Os Passivos Circulantes podem ser reduzidos em função da falta de crédito da empresa: dificuldades de captação nos bancos, exigência de pagamento à vista para compras de fornecedores e falta de alternativas à captação de recursos. Empresas sem crédito na praça exigem de seus sócios maiores aportes de capital para viabilizar o Capital de Giro necessário.

Os aspectos negativos que podem estar por trás de um bom índice de liquidez recomendam cautela em sua utilização. Lembre-se também que, conforme estudamos no item referente à análise DuPont, um dos caminhos para otimizar a rentabilidade da empresa é a melhoria do índice de giro de Ativos, ou seja, reduzir os Ativos necessários para manter a operação em funcionamento.

Se, buscando eficiência no uso de seus recursos, a empresa adota políticas e ferramentas de otimização de uso de caixa e de otimização de estoques, seus Ativos Circulantes sofrem redução. Da mesma forma, se a empresa adota práticas mais eficientes de negociação, a tendência é que seus prazos de pagamento aumentem e, com eles, o volume de Passivos Circulantes. Esses dois aspectos extremamente positivos diminuem os índices de liquidez, originando um conflito frequente para quem administra o caixa da empresa.

*Para obter maior liquidez, a empresa é obrigada a abrir mão de sua rentabilidade, e vice-versa.*

Pelos motivos destacados, recomendo cautela na interpretação dos índices de liquidez. Caso sinalizem uma evolução negativa, procure avaliar todo o contexto implícito nessa evolução, analisando também os ciclos operacional e de caixa da empresa.

### 4) Índices de Endividamento

Os Índices de Endividamento, também conhecidos como Índices de Solvência, indicam o risco da empresa em decorrência de suas dívidas. Seu papel é mostrar a proporção de recursos de terceiros financiando o Ativo total.

Teoricamente, uma empresa apresenta boas condições de solvência quando seus Ativos são financiados predominantemente por recursos próprios, indicando que seus sócios não só possuem fôlego financeiro como também apostam no negócio. Repare que essa é uma interpretação teórica, pois muitos negócios cuja atividade é de baixo risco costumam obter financiamentos volumosos de linhas de crédito de longo prazo, como acontece com geradoras de energia e indústrias.

A formulação geral e mais utilizada dos índices de endividamento ou solvência é aquela que mostra os Passivos como proporção dos Ativos totais:

$$\text{Endividamento} = \frac{\text{Passivo Total}}{\text{Ativo Total}}$$

*Exemplo:*

**FIGURA 79** Cálculo do Índice de Endividamento

|  | 2015 | 2016 |  |
|---|---|---|---|
| **Passivo total (PC + ELP)** | 400.000 | 900.000 |  |
| **Ativo total (AC + RLP + AP)** | 1.000.000 | 1.500.000 | **Avaliação técnica** |
| **ENDIVIDAMENTO** | 40% | 60%* | **NEGATIVA** |

\* De cada R$ 1,00 investido, R$ 0,60 ou 60% do financiamento são recursos de terceiros (dívidas).

Em termos práticos, qualquer indicador que demonstre o nível de participação de recursos de terceiros é um índice de endividamento. Repare como, em relação ao balanço patrimonial a seguir, diversos indicadores diferentes podem ilustrar a mesma informação.

**FIGURA 80** Formas de interpretar o nível de endividamento:

|  |  |
|---|---|
| **Ativo**<br><br>R$ 300 mil | **Passivo**<br>R$ 200 mil |
|  | **PL**<br>R$ 100 mil |

| Indicador | Valor Obtido | Interpretação |
|---|---|---|
| Passivo/Ativo | = 2/3 ou 67% | 67% dos investimentos são financiados por terceiros |
| Passivo/PL | = 2/1 ou 2 vezes | o Passivo equivale ao dobro dos recursos próprios |
| PL/Ativo | = 1/3 ou 33% | 33% dos Ativos são financiados por recursos próprios |
| PL/Passivo | = 1/2 ou 50% | os recursos próprios equivalem a 50% dos de terceiros |
| Ativo/Passivo | = 3/2 ou 1,5 vez | o Ativo equivale a 150% dos recursos de terceiros |
| Ativo/PL | = 3/1 ou 3 vezes | o Ativo está alavancado em 3x os recursos próprios |

Note que, independentemente do indicador utilizado e do número obtido de seu cálculo, a informação obtida de cada um deles é idêntica e quer dizer que as proporções entre Ativos, Passivos e Patrimônio Líquido da empresa são de 3:2:1.

Repare também que o último indicador da lista já era conhecido nosso, do tópico da análise DuPont. Trata-se do multiplicador de alavancagem, o qual deveria ser o maior possível para proporcionar aumento da rentabilidade aos sócios da empresa. Porém, agora, afirmamos que, para maior solvência da firma, os indicadores que se referem ao endividamento devem preferencialmente evoluir no sentido de indicar menor participação de capital de terceiros.

Há alguma incoerência nas interpretações dos índices? A resposta é: não!

O multiplicador de alavancagem, quando utilizado como parte do Modelo DuPont, visa indicar a evolução dos números da empresa segundo os interesses dos sócios. Obviamente, um negócio será tanto melhor para os sócios quanto menor for a participação de seus recursos pessoais e maiores forem os lucros gerados.

Contudo, imagine qual é o interesse de um credor, por exemplo um banco, ao analisar os números de uma empresa. Certamente o banco estará menos propenso a oferecer crédito às empresas com elevado nível de endividamento, pois suas chances de receber, em caso de insolvência, serão menores – os Ativos estarão comprometidos também com outros credores.

Por isso, podemos afirmar que os interesses dos credores, no que tange ao endividamento, são opostos.

Quando, de um período para outro, a empresa indicar queda de seu multiplicador de alavancagem, provavelmente os sócios estarão menos satisfeitos, pois em razão disso o nível de participação de recursos de terceiros será menor que no período anterior. Isso significa, porém, que o atual período será mais propício à negociação de crédito com credores, em função do menor índice de endividamento da empresa.

## Cobertura de Juros

O Índice de Cobertura de Juros é outro indicador associado à capacidade de solvência da empresa, utilizado como referência da capacidade de a firma equilibrar suas contas com os compromissos assumidos.

$$\text{Índice de Cobertura de Juros} = \frac{\text{Lucro Operacional (LAJIR)}}{\text{Despesas de Juros}}$$

Sua interpretação imediata é a de que quanto mais resultado operacional a empresa tiver, mais dívidas pode assumir, pois tem maiores condições de pagar juros. Bancos de menor porte, desprovidos de ferramentas complexas de avaliação de crédito, tendem a oferecer crédito apenas de curtíssimo prazo e com base na capacidade de cobertura de juros da empresa. Exemplo:

**FIGURA 81** Cálculo do Índice de Cobertura de Juros

|  | 2015 | 2016 |  |
|---|---|---|---|
| **LAJIR** | 100.000 | 150.000 |  |
| **Despesas de juros** | 10.000 | 20.000 | **Avaliação técnica** |
| **COBERTURA DE JUROS** | 10x | 7,5x* | **NEGATIVA** |

* A empresa tem condições de assumir 7,5 vezes mais despesas de juros sem entrar em prejuízo.

# 9

# Vale a pena? A viabilidade dos empreendimentos

Os números facilitam o entendimento e a condução dos negócios, pois quantificam os resultados de nossas escolhas, sejam elas já concretizadas, sejam ainda estimativas.

É preciso ter sempre em mente que uma empresa, em essência, é a melhor forma que o empresário encontrou para multiplicar suas riquezas. A maneira mais inteligente de administrar essa escolha é gerando resultados suficientes para atender às expectativas dos sócios, sem comprometer a capacidade de autoinvestimento a partir dos próprios lucros gerados pelo negócio.

Na prática, uma empresa se mostrará um investimento eficiente se, ao longo de sua história, observarmos uma espiral de crescimento patrimonial contínuo. Para essa estratégia funcionar, é preciso levar em consideração os números a cada decisão tomada, como se decidíssemos as compras e vendas dos Ativos de qualquer carteira de investimentos.

Quem conseguir fazer isso sem deixar de levar em consideração as necessidades dos clientes prosperará tanto em termos financeiros quanto em relação à construção da marca. Administrar bem uma empresa é manter o equilíbrio entre essas duas expectativas.

## Decisões em cima de números

Uma das perguntas mais frequentes que recebo sobre negócios em minhas redes sociais é: "Vale a pena?" É comum que novos empreendedores busquem resposta para "Vale a pena trocar meu emprego pela franquia que estou pensando em abrir?". Outra versão é "Vale a pena deixar de lado meus fins de semana e feriados para deslanchar no marketing multinível?". Empreendedores já consolidados perguntam: "Vale a pena expandir minha operação?"

Não sou eu quem tem as respostas, nem qualquer outro especialista. A resposta a qualquer tipo de "Vale a pena?" está em saber colocar todas as variáveis na balança e entender que, quando tomamos a decisão de investir, estamos deixando de lado a decisão de não fazer nada (e supostamente manter nosso capital investido com segurança) ou a decisão de seguir por outro caminho que também precisa ser adequadamente avaliado.

É para isso que servem as ferramentas de avaliação de investimento. Ao utilizá-las, você passa a tomar a decisão de ir adiante com um projeto de investimento somente após determinar objetivamente sua viabilidade.

Quando me refiro a projeto de investimento, pode ser a abertura de uma franquia, de uma padaria, de uma oficina, a compra de um terreno para, em seguida, construir casas com o intuito de vendê-las, e assim por diante.

As medidas mais utilizadas para estimar a viabilidade de projetos são:

1) Período de *Payback*
2) Valor Presente Líquido (VPL)
3) Taxa Interna de Retorno (TIR)

De todas as técnicas listadas, as mais utilizadas são a do Valor Presente Líquido (VPL) e a Taxa Interna de Retorno (TIR). Nenhuma decisão de investimento, independentemente do porte e complexidade, deveria ser implementada sem antes passar por uma análise de VPL e TIR.

Mesmo projetos economicamente viáveis têm chance de fracassar, uma vez que a decisão de investimento é determinada a partir de fluxos de caixa *projetados*, cujas estimativas poderão se concretizar ou não. Quanto maior for a incerteza em relação aos fluxos projetados, mais arriscado será o projeto e isso repercutirá na taxa de juros a ser usada para descontar os fluxos de caixa. Quanto mais arriscado for o projeto, maior o retorno exigido pelo investidor. Se esse retorno se materializará ou não, é outra história. De qualquer maneira, uma regra de ouro em finanças é: *quanto mais arriscado for um negócio, maior será o retorno exigido pelo investidor*. Contudo, o investidor não será remunerado pelo risco adicional que correr se, porventura, o projeto for implementado sem o devido planejamento. O investidor merece retorno adicional somente pelo risco não diversificável, ou seja, aquele que não pode ser evitado.

Isso, por si só, realça a importância de fazer um bom planejamento antes de se iniciar o negócio, seja ele qual for. Quanto mais afoita for a decisão de investimento, maior será a chance de fracasso.

Do ponto de vista prático, é comum encontrar resistência do candidato a empresário em investir tempo e recursos na projeção dos fluxos de caixa. A desculpa recorrente é: "Como é que eu vou estimar o fluxo que ocorrerá em X anos?" Porém, se você não for capaz de estimar os fluxos, não terá como avaliar se o projeto é bom ou não. No mínimo, estará tomando decisões a partir de uma base muito frágil.

Em relação ao horizonte de tempo, o fluxo de caixa deve ser projetado para *toda* a vida do empreendimento. Isto é, se for um projeto de dez anos, você deverá orçar os fluxos de caixa para os dez anos. Se o projeto for de 20 anos, terá que projetar fluxos de caixa por 20 anos.

Examinemos o seguinte caso: o dono de um supermercado estuda renovar seus equipamentos de informática, o que requererá R$ 1 milhão em investimentos. Os equipamentos novos, por serem mais modernos e eficientes, prometem trazer economias de R$ 250.000,00 por ano, durante o período de cinco anos. Após cinco anos, estima-se que será possível revender os equipamentos por R$ 50.000,00. Com base nessas informações, podemos montar o Fluxo de Caixa da Figura 82 e utilizá-lo para discutir as primeiras duas técnicas de análise, o *Payback* e o Valor Presente Líquido (VPL).

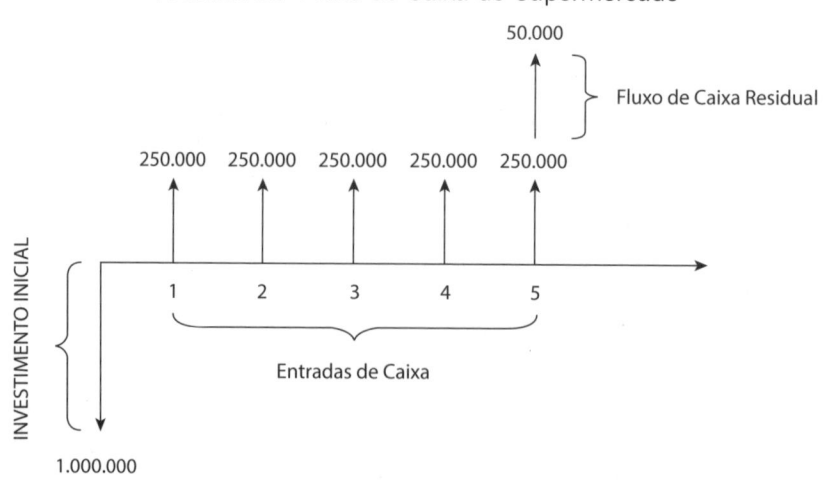

**FIGURA 82** Fluxo de Caixa do Supermercado

*1) O método do Período de Payback*

Período de *Payback* significa o tempo transcorrido no projeto até que se recupere o capital investido e visa responder a uma clássica questão que envolve todo empreendedor:

*Em quanto tempo o investimento é recuperado?*

A resposta é obtida de maneira simples e intuitiva, tornando o cálculo do *payback* a forma mais simples e intuitiva de avaliar investimentos. Basta somar os fluxos de caixa obtidos desde o início da atividade do projeto e identificar em quanto tempo a soma dos fluxos de caixa positivos se iguala ao total de investimentos feitos.

No exemplo da renovação dos equipamentos de informática do supermercado, o cálculo do *payback* exige que se calculem os fluxos de caixa acumulados a cada período:

**FIGURA 83** Cálculo do *Payback*

| Data | 0 | 1 | 2 | 3 | 4 | 5 |
|---|---|---|---|---|---|---|
| Fluxo de Caixa | (1.000.000) | 250.000 | 250.000 | 250.000 | 250.000 | 300.000 |
| Fl. Caixa Acumulado | (1.000.000) | (750.000) | (500.000) | (250.000) | - | 300.000 |
| | | | | | Payback | 4 anos |

Segundo o método do período de *payback*, o dono do supermercado recuperará seu investimento em quatro anos.

Note, pelo fluxo montado, que uma análise ligeira do projeto provavelmente fará com que você o aceite. Eis o raciocínio: "Ora, vou investir R$ 1 milhão para depois ganhar R$ 1,3 milhão (cinco vezes 250.000 mais 50.000 no final), recuperando meu investimento em quatro anos e lucrando R$ 300.000,00 ao final de cinco anos."

Porém o raciocínio cogitado embute alguns equívocos:

- Ao se investir R$ 1 milhão para depois receber R$ 1,3 milhão, os R$ 300.000,00 de diferença positiva, caso a conta fosse feita corretamente, indicariam que, de fato, foi válido o sacrifício de se renunciar a R$ 1 milhão na data atual para depois receber R$ 1,3 milhão. Contudo, além de os R$ 300.000,00 terem sido calculados de forma errada, o valor encontrado não é lucro. Perceba que o diagrama anterior é bem explícito ao mencionar entradas e saídas de *caixa*. Isto é, o diagrama anterior é um fluxo de caixa, e não de lucro.

- Lembre-se do seguinte: *o mais importante na análise de um projeto é estudar sua geração de caixa, e não a geração de lucro*. Logo, R$ 300.000,00 de diferença devem ser entendidos como um ganho relacionado a caixa, e não a lucro.
- O segundo problema é que não se podem somar valores em instantes diferentes do tempo. Não há dúvida que, entre as opções de receber R$ 300.000,00 agora ou recebê-los em cinco anos, qualquer indivíduo em sã consciência optaria por recebê-los agora, afinal é possível aumentar o aproveitamento desse valor ao longo dos próximos cinco anos. Logo, o valor de R$ 1,3 milhão não tem significado financeiro, pois cada um dos R$ 250.000,00 está em momentos distintos do tempo. Para resolver esse problema, devemos trazer cada um dos valores à data atual, utilizando o cálculo do valor presente.

Atenção: *jamais some valores em instantes diferentes do tempo!*

Por esse motivo utiliza-se o método do valor presente líquido, explicado a seguir.

*2) O Método do Valor Presente Líquido (VPL)*

O método do Valor Presente Líquido nos permite comparar valores que entram ou saem em instantes diferentes do tempo. De cada dez empresas com gestão financeira profissional, dez utilizam esse método para avaliar projetos de investimento, seja a decisão de alugar ou comprar um equipamento, terceirizar ou não a produção, construir um novo depósito, entre tantas outras decisões de investimento que as empresas têm de tomar.

O método consiste em descontar os valores do fluxo de caixa a uma taxa predeterminada, visando responder precisamente à seguinte questão:

*Quanto se ganha com o investimento?*

As técnicas aqui utilizadas para descontar os fluxos de caixa a valores presentes são conceitos básicos de matemática financeira, cujo estudo não faz parte da proposta deste livro. Caso você tenha interesse em entender esses conceitos em detalhes, recomendo a leitura de meu livro *Dinheiro, os segredos de quem tem*.

A taxa de desconto predeterminada para "trazer" os fluxos de caixa para uma mesma data costuma ser a taxa mínima que o investidor espera obter de retorno com seus investimentos, seja porque possui outras opções de investimento com essa rentabilidade, seja porque não está disposto a ganhar menos para o nível de risco que está assumindo. Por esses motivos, tal taxa costuma ser chamada também de *Custo de Oportunidade*.

Com todos os valores comparados *como se estivessem* na mesma data, fica fácil identificar se o projeto traz ganhos ou perdas em termos reais. Em essência, o método determina que *devem ser aceitos apenas projetos que tenham um Valor Presente Líquido positivo*, ou seja, que tragam ganho maior do que o esperado pela taxa de desconto utilizada.

Proponho avançar no entendimento utilizando exemplos como base.

Ainda no exemplo da renovação dos equipamentos de informática do supermercado, suponha que o investidor deseje uma taxa de retorno anual de 10%. Nessas condições, o projeto será viável se a soma dos fluxos de caixa futuros trazidos a valor presente por essa taxa exceder o valor investido.

**FIGURA 84** Valores Históricos de Fluxo de Caixa do Supermercado

| Ano | Fluxo de Caixa |
|---|---|
| 0 | (1.000.000) |
| 1 | 250.000 |
| 2 | 250.000 |
| 3 | 250.000 |
| 4 | 250.000 |
| 5 | 300.000 |

O que devemos fazer é trazer cada um dos fluxos para a data zero (ou qualquer outra data, contanto que todos os fluxos sejam levados impreterivelmente para a mesma data). Podemos fazer isso com o auxílio do Microsoft Excel, utilizando a função VP no Excel em português ou PV no Excel em inglês:

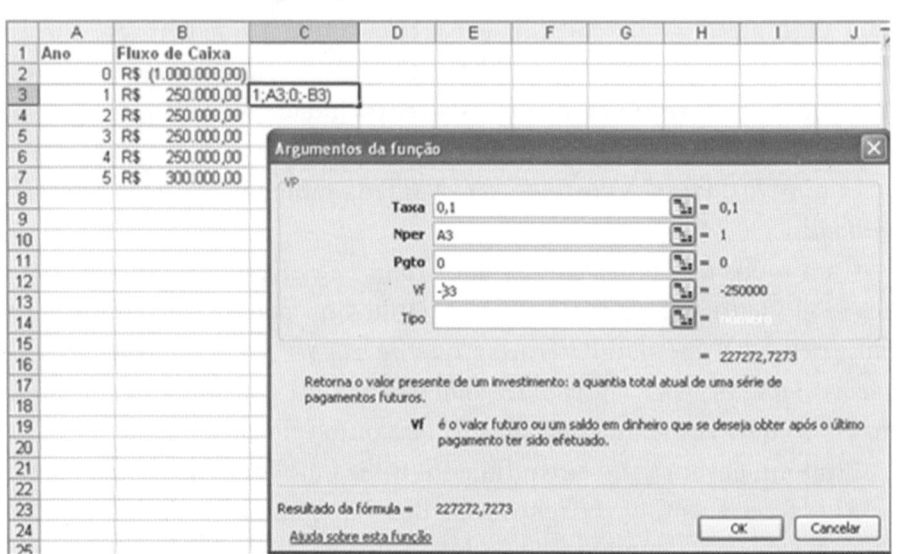

**FIGURA 85** Cálculo do Valor Presente no Excel

|   | A | B |
|---|---|---|
| 1 | Ano | Fluxo de Caixa |
| 2 | 0 | R$ (1.000.000,00) |
| 3 | 1 | R$ 250.000,00 |
| 4 | 2 | R$ 250.000,00 |
| 5 | 3 | R$ 250.000,00 |
| 6 | 4 | R$ 250.000,00 |
| 7 | 5 | R$ 300.000,00 |

Argumentos da função — VP

Taxa: 0,1 = 0,1
Nper: A3 = 1
Pgto: 0 = 0
Vf: -B3 = -250000
Tipo:

= 227272,7273

Retorna o valor presente de um investimento: a quantia total atual de uma série de pagamentos futuros.

Vf é o valor futuro ou um saldo em dinheiro que se deseja obter após o último pagamento ter sido efetuado.

Resultado da fórmula = 227272,7273

A fórmula pede o preenchimento dos seguintes campos (os termos em parênteses referem-se à versão em inglês do Excel):

- **Taxa ($i$):** é a taxa de desconto que definimos para avaliar o investimento. No nosso exemplo, a taxa é de 10% ou 0,1.
- **Nper (n):** é o número de períodos que estamos descontando. Como o fluxo de caixa do exemplo é anual, cada período é de um ano. Assim, o fluxo de caixa do ano 1 deve ser descontado 1 período, o fluxo de caixa do ano 2 é descontado 2 períodos e assim por diante.
- **Pgto (PMT):** utilizamos este campo somente quando queremos descontar de uma só vez vários fluxos uniformes. Se todos os cinco fluxos positivos fossem, por exemplo, de R$ 250.000,00, poderíamos fazer uma única conta utilizando 5 no campo Nper (5 prestações iguais) e 250.000 no campo Pgto. Como os fluxos não são uniformes (no quinto ano o fluxo é de R$ 300.000,00), optamos por calcular o valor presente ano a ano e somar todos os valores no final.
- **VF (FV):** valor do pagamento na data Nper ou n.

Após inserirmos a fórmula na célula C3, conforme ilustrado na Figura 86, e copiarmos para as células C4 até C7, obteremos os seguintes resultados:

**FIGURA 86** Valores Presentes Líquidos (VPL) do supermercado

| Ano | Fluxo de Caixa | Valor Presente usando 10% |
|---|---|---|
| 0 | (1.000.000,00) | (1.000.000,00) |
| 1 | 250.000,00 | 227.272,73 |
| 2 | 250.000,00 | 206.611,57 |
| 3 | 250.000,00 | 187.828,70 |
| 4 | 250.000,00 | 170.753,36 |
| 5 | 300.000,00 | 186.276,40 |

Desconsiderando o investimento inicial, a soma dos valores presentes é R$ 978.742,76, que é inferior ao investimento inicial de R$ 1 milhão, indicando que esse projeto não satisfaz um investidor que exija 10% de retorno anual. Em outras palavras, esse projeto deve ser rejeitado.

O VPL do projeto é de R$ 978.742,76 – R$ 1.000.000 = (R$ 21.257,24). Lembre-se de que devemos rejeitar projetos com VPL negativo.

Um comentário oportuno é que se, erroneamente, somássemos os fluxos desconsiderando o valor do dinheiro no tempo, obteríamos R$ 1,3 milhão, o que indica que estaríamos ganhando R$ 300.000 em relação ao investimento inicial. Essa conta, tão comum de ser realizada pelos amadores, nos conduz a uma decisão errada de aceitar projetos que deveriam ser rejeitados.

Pelo mesmo raciocínio, conclui-se que o método do Período de *Payback* proporciona uma avaliação distorcida, principalmente quando se consideram longos períodos de maturação dos investimentos. Para uma avaliação mais precisa, o fluxo de caixa considerado para o cálculo do *payback* deveria ser o fluxo já descontado a valores presentes. Nesse caso, a técnica de avaliação seria denominada de *Payback Descontado*. No nosso exemplo, não há como determinar o *payback* descontado, uma vez que o investimento não se paga até o fim de sua vida útil.

Outro exemplo: Um investidor que exige 12% ao ano de retorno está investigando um projeto com o seguinte fluxo de caixa projetado:

**FIGURA 87** Fluxo de Caixa do projeto considerado

| Ano | Fluxo de Caixa |
|---|---|
| 0 | (850) |
| 1 | |
| 2 | 300 |
| 3 | 400 |
| 4 | 400 |
| 5 | 50 |
| 6 | 20 |
| 7 | |
| 8 | 30 |
| 9 | |
| 10 | 200 |

Para calcular o VPL desse projeto, recorremos novamente ao Excel. Utilizando a função VP, obtemos os seguintes resultados:

**FIGURA 88** Cálculo do VPL do projeto

| Ano | Fluxo de Caixa | Valor Presente usando 12% | VP Acumulado |
|---|---|---|---|
| 0 | (850,00) | (850,00) | (850,00) |
| 1 | | 0,00 | (850,00) |
| 2 | 300,00 | 239,16 | (610,84) |
| 3 | 400,00 | 284,71 | (326,13) |
| 4 | 400,00 | 254,21 | (71,92) |
| 5 | 50,00 | 28,37 | (43,55) |
| 6 | 20,00 | 10,13 | (33,42) |
| 7 | | 0,00 | (33,42) |
| 8 | 30,00 | 12,12 | (21,30) |
| 9 | | 0,00 | (21,30) |
| 10 | 200,00 | 64,39 | 43,09 |

Desconsiderando o investimento inicial, a soma dos valores presentes é R$ 893,09, que é superior ao investimento inicial de R$ 850,00, o que indica que esse projeto satisfaz um investidor que exija 12% de retorno anual. Em outras palavras, com as informações disponíveis, esse projeto deve ser aceito.

O VPL do projeto é de R$ 893,09 − R$ 850,00 = R$ 43,09. Lembre-se de que devemos aceitar projetos com VPL positivo. O fato de o VPL ser positivo não garante que o projeto será um sucesso. Uma vez que todos os cálculos foram feitos com base em projeções, ninguém garante que essas projeções se efetivarão.

Outro aspecto muito importante a ser destacado é que para calcularmos o VPL de um projeto precisamos conhecer a taxa de retorno que o investidor exige. No caso em questão, ele exige 12% ao ano. Caso exigisse 20% ao ano, deveríamos trazer novamente os fluxos de caixa a valor presente com a nova taxa e, em seguida, comparar com o investimento.

Mais um exemplo: Um investidor que exige 15% ao ano de retorno está investigando um projeto com o seguinte fluxo de caixa projetado:

**FIGURA 89** Fluxo de Caixa de projeto considerado

| Ano | Fluxo de Caixa |
|---|---|
| 0 | (500) |
| 1 | (200) |
| 2 | 320 |
| 3 | 330 |
| 4 | 380 |
| 5 | 330 |
| 6 | 20 |

O projeto evidencia que o investimento ocorreu nos anos 0 e 1. Ainda assim, o método do VPL poderá ser utilizado. Calcularemos o valor presente das entradas e saídas de caixa conforme ilustra a tabela a seguir e, então, compararemos o valor presente dos investimentos com o valor presente dos benefícios futuros.

Resolvendo pelo Excel utilizando a função VP, obtemos os seguintes resultados:

**FIGURA 90** Cálculo do VPL do projeto

| Ano | Fluxo de Caixa | Valor Presente usando 15% |
|---|---|---|
| 0 | (500,00) | (500,00) |
| 1 | (200,00) | (173,91) |
| 2 | 320,00 | 241,97 |
| 3 | 330,00 | 216,98 |
| 4 | 380,00 | 217,27 |
| 5 | 330,00 | 164,07 |
| 6 | 20,00 | 8,65 |

A soma dos valores presentes das entradas futuras de caixa é de R$ 848,93, que é superior à soma dos valores presentes dos investimentos, que totaliza R$ 673,91. Isso significa que esse projeto satisfaz um investidor que exija 15% de retorno anual. Em outras palavras, com as informações disponíveis, esse projeto deve ser aceito.

O VPL do projeto é de R$ 848,93 − R$ 673,91 = R$ 175,01. Lembre-se de que devemos aceitar projetos com VPL positivo.

*Você está diante de uma decisão que envolve duas opções de pagamento para a aquisição de novas mercadorias para o estoque. Decida qual a melhor solução para o pagamento de um fornecedor que oferece as seguintes condições para venda: 1) pagamento à vista com 6% de desconto, ou 2) pagamento parcelado em 4 vezes com 3% de desconto. O valor de tabela da mercadoria é de R$ 1.000,00, e o caixa da empresa está aplicado em um investimento que rende 2% ao mês, menos 20% de Imposto de Renda (rendimento líquido de 1,6% ao mês).*

**Avaliação da opção 1**: pagando à vista, a mercadoria sai por R$ 940, com desembolso imediato.

| Pagamento à vista | |
|---|---|
| Mercadoria | 1.000 |
| Desconto 6% | 60 |
| | 940 |

**Avaliação da opção 2:** ao optar pelo pagamento em 4 vezes, a mercadoria sai por R$ 970, o desembolso imediato é de R$ 242,50 e há mais três desembolsos (30, 60 e 90 dias) de R$ 242,50 cada.

Pagamento em 4x

|   |   |
|---|---|
| Mercadoria | 1.000 |
| Desconto 3% | 30 |
|   | 970 |

|   | 0 | 30 | 60 | 90 |
|---|---|---|---|---|
| Pagamento em 3x | 242,5 | 242,5 | 242,5 | 242,5 |
| VPL |   | 947,33 | 1,60% |   |

Descontando o fluxo de caixa da opção 2 pela taxa de 1,6% ao mês e somando os valores, chegamos ao VPL de R$ 947,33. Conclui-se que a opção 1 (à vista com 6% de desconto) é melhor, pois lhe custa menos.

Para justificar o raciocínio, considere que você tem disponíveis apenas os R$ 940 negociados para pagamento à vista. Se optar por comprar a prazo com 3% de desconto, pagará apenas R$ 242,50 e poderá aplicar a 1,6% ao mês o saldo de R$ 697,40. Um mês depois, com os rendimentos, seu saldo será de R$ 708,70. Então, paga a segunda parcela de R$ 242,50 e mantém aplicado o saldo de R$ 466,20. A operação é repetida no terceiro mês e, quando chega o momento de quitar a última parcela de R$ 242,50, o saldo é de apenas R$ 234,80, inviabilizando a quitação. Fica demonstrado, então, que a opção 2 custa mais do que o pagamento à vista de R$ 940,00.

| Valor disponível | 940,0 | 708,7 | 473,6 | 234,8 |
|---|---|---|---|---|
| Valor a pagar | 242,5 | 242,5 | 242,5 | 242,5 |
| Saldo | 697,5 | 466,2 | 231,1 | (7,7) |

### 3) O método da Taxa Interna de Retorno (TIR)

A Taxa Interna de Retorno é a taxa de desconto que faz com que o Valor Presente Líquido (VPL) seja nulo, ou seja, iguala o valor presente de entradas e saídas. Ao contrário do método do VPL, que necessita de uma informação passada pelo investidor – a taxa de retorno que ele exige –, a Taxa Interna de Retorno é uma informação intrínseca ao projeto.

Assim, um projeto com TIR = 25% ao ano indica que essa é a máxima Taxa de Retorno que se pode obter nesse projeto. Logo, se um investidor exigir mais que 25% ao ano, não poderá aceitá-lo. No entanto, um investidor que exige 20% ao ano estaria satisfeito com um projeto de TIR de 25% ao ano. Logo, temos as seguintes conclusões:

*Se a Taxa de Retorno exigida pelo investidor:*
*For maior que a TIR, ele rejeita o projeto;*
*For menor que a TIR, ele aceita o projeto.*

A TIR pode ser facilmente calculada por intermédio do Excel, empregando-se a função TIR, ou IRR em inglês. Consideremos o seguinte exemplo contendo fluxos de caixa espaçados por ano:

**FIGURA 91** Fluxo de Caixa do projeto considerado

| Ano | Fluxo de Caixa |
|---|---|
| 0 | (3.500) |
| 1 | 400 |
| 2 | 320 |
| 3 | 3.000 |
| 4 | 380 |
| 5 | 330 |
| 6 | 1.200 |

Para calcularmos a TIR do Fluxo de Caixa, selecionamos todo o fluxo de caixa e utilizamos a função TIR do Excel, conforme ilustra a Figura 92:

**FIGURA 92** Cálculo da Taxa Interna de Retorno (TIR)

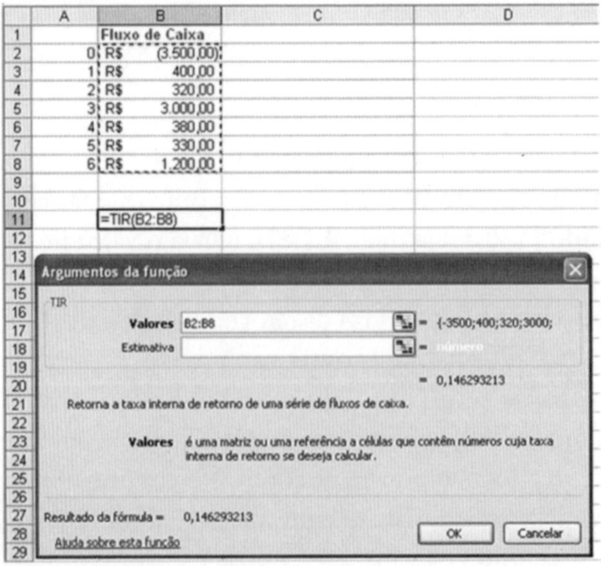

A TIR do projeto anterior é de 14,63% ao ano. Um investidor que exija 15% ao ano de retorno não poderá aceitar um projeto com esse fluxo de caixa. Entretanto, um investidor que exija retorno de 12% ao ano poderá aceitá-lo.

IMPORTANTE: em todos os exemplos utilizados para o cálculo do Período de *Payback*, do VPL e da TIR, utilizamos o mesmo intervalo de tempo entre um fluxo e outro. Esse é um requisito essencial para que as técnicas funcionem adequadamente.

Quando um fluxo apresenta intervalos não uniformes, devemos ajustar a medida de tempo para que todos os fluxos estejam na mesma unidade: anuais, mensais, semanais, quinzenais, etc.

Da mesma forma, as taxas de desconto utilizadas para descontar os fluxos de caixa devem estar na mesma unidade dos fluxos. Se analisamos um fluxo de caixa mensal, descontamos por uma taxa mensal. Se o fluxo é quinzenal, precisamos apurar uma taxa por quinzena. Ao calcular a Taxa Interna de Retorno de um fluxo quinzenal, por exemplo, teremos como resposta uma rentabilidade por quinzena, e não mensal nem anual.

# 10
# Prejuízo e dívidas: Os cinco passos para virar a mesa

Até então, tratamos da administração financeira visando melhorar processos e o desempenho dos negócios, sejam de empresas em funcionamento ou em perspectiva de iniciar as atividades.

Obviamente, administrar um negócio rentável é bem diferente de administrar uma empresa endividada e que atua com prejuízos recorrentes.

Se, por um lado, administrar a inteligência financeira de uma empresa requer uma dedicação mínima de tempo a acompanhar os principais indicadores e agir com foco somente naqueles que surgem fora do esperado, por outro lado a administração de uma empresa com problemas financeiros requer foco total e ininterrupto nos números.

Para resolver dívidas não utilizamos indicadores e demonstrativos. Dívidas são corrigidas com mudança de atitude e nova postura na condução dos negócios. A estratégia que eu recomendo para empresas com problemas tipicamente financeiros consiste em cinco iniciativas:

## 1) Enfrente os problemas

Parar de se enganar e encarar o problema como urgente é o passo mais importante. Enquanto isso não é feito, os processos continuam ineficientes, as más negociações continuam gerando frutos ruins e a condução da empresa continua sendo à base de expectativas e esperanças, não de atitudes práticas e objetivas. Enfrente a situação. Enfrentar significa entender que nenhuma negociação, nenhum prazo, nenhum despacho é mais importante do que a urgência de cuidar da sobrevivência do negócio.

## 2) Contrate um bom advogado

Dívidas nascem de vendas malfeitas, crédito mal negociado, planos malfeitos, negociações mal assessoradas, premissas mal embasadas. Para sanear as dívidas, erros terão que ser desfeitos, incluindo o cancelamento de contratos, o não pagamento de dívidas, a dispensa de colaboradores e a quebra de acordos comerciais. Para não aumentar os problemas, o ideal é que um especialista em contratos e normas – ou seja, um bom advogado – esteja a seu lado para ajudar a identificar acordos que podem ser desfeitos com menor custo e para auxiliar nas negociações de contratos mais complexos. Advogados costumam ser evitados em razão da fama de custarem caro, mas, acredite: um bom advogado lhe custa muito menos do que a falta de uma assessoria jurídica.

## 3) Diferencie seus credores

Sob a orientação de seu advogado e com o objetivo de desfazer acordos previamente estabelecidos, você provavelmente irá se surpreender com a reação de seus parceiros de negócios, sejam clientes, fornecedores ou financiadores. Enquanto alguns serão rigorosos ao exigir o cumprimento das obrigações contratuais, outros se mostrarão flexíveis, valorizando a relação histórica e as perspectivas de longo prazo. É na dificuldade que descobrimos quem está ao nosso lado e quem tem apenas uma relação oportunista. Se não puder pagar a todos, privilegie os parceiros. Deixe que o advogado cuide da relação com aqueles que não constroem boa sinergia com seu negócio.

## 4) Estabeleça um corte radical de gastos

Você deve ter reparado que, ao longo de minhas orientações, não detalhei estratégias de corte de gastos. O motivo é que não acredito em estratégias específicas para isso. Gastos têm motivos de existir, sejam operacionais, sejam para melhorar o clima organizacional, a empatia com o cliente ou a reputação da marca. Políticas de corte de gastos embutem o sério risco de cortar junto o valor. Não raro, empresas que se empenham em cortar custos acabam por comprometer a qualidade do serviço, a eficiência da produção e a percepção positiva do cliente. Gastos podem ser reduzidos com acompanhamento contínuo de indicadores, melhoria de técnicas de negociação, eliminação de perdas e desperdícios, ou seja, com a implementação de técnicas de consciência. Entretanto, quando a empresa opera em prejuízo, não é possível esperar por aprendizado e melhorias com base no acompanhamento contínuo. Dependendo da demora, pode ser tarde demais. Por isso, a orientação é: sente em cima de seu caixa! Informe aos colaboradores e clientes que a empresa está passando por uma reorganização e que alguns processos e serviços serão interrompidos, e passe a acompanhar diária e detalhadamente todas as entradas e saídas de caixa. Estude cada movimentação, reavalie a necessidade de cada fluxo de saída, elimine vícios que se acumularam em razão do empilhamento de decisões pouco conscientes. Essa é a mudança de atitude que trará as transformações mais efetivas e definitivas para que o processo de endividamento não se repita tão cedo.

## 5) Desista dos piores clientes

Se mesmo em situações rentáveis devemos selecionar clientes para equilibrar o caixa, por que seria diferente em uma situação de endividamento? O objetivo é depurar as contas e manter apenas o que for rentável, visando alimentar o compromisso de sanear as finanças e retomar a lucratividade. Alimente apenas o que dá lucro; feche, encerre, elimine o que dá prejuízo. Desista dos piores clientes, ou recomende-os à concorrência. O objetivo de sua empresa é gerar resultados, lembre-se disso.

# 11
# As cinco competências financeiras essenciais

As ferramentas, técnicas e orientações discutidas até aqui são suficientes para que você consiga identificar e mapear os riscos e as oportunidades resultantes de escolhas de investimento, de financiamento e de distribuição de recursos. Em outras palavras, temos aqui um modelo completo de planejamento financeiro.

Porém todo esse arcabouço de ferramentas pode não ter qualquer eficácia se não houver a preocupação, por parte dos sócios empreendedores, de reunir em sua empresa cinco competências financeiras que considero essenciais para a sobrevivência do negócio no longo prazo. Essas competências são as seguintes:

### Competência nº 1: Possuir números confiáveis

A base de qualquer análise financeira são as demonstrações financeiras. Porém não é raro que empresários subestimem os serviços que podem ser contratados de seu contador, ou que os dispensem visando reduzir custos. Lamentavelmente, essa relação distante entre empresários e contadores se traduz em relatórios contábeis pobres e sem detalhamento, com pouca utilidade gerencial.

É interessante notar que a falta de números confiáveis não costuma ser percebida como um problema por empresários de pequeno porte ou com pouca experiência. Para muitos, os relatórios contábeis não passam de formalidades burocráticas (lembre-se do "Onde eu assino?") e os controles financeiros devem ser feitos apenas para saber onde consultar informações "em caso de necessidade".

Sim, as empresas funcionam sem números precisos e confiáveis. O tino comercial se encarrega de fazer boas negociações e o instinto empreendedor se encarrega de fechar contas no fim do mês. Porém essa administração instintiva dos negócios é carregada de ineficiências e impede que problemas sejam detectados com a desejável antecedência.

Gerenciar uma empresa sem bons relatórios financeiros em mãos é como pilotar um avião sem painel de controle ou comandar um navio sem radar. Sem instrumentos precisos, é possível fazer o avião decolar, voar e pousar, mas os instrumentos garantem que esses procedimentos sejam mais suaves e com menos desgastes para o equipamento e para os passageiros. Sem radar, qualquer navio navega – mas, quando o iceberg for avistado, pode ser tarde demais.

### Competência nº 2: Trabalhar com um orçamento claro

A importância e o funcionamento do orçamento já foram explicados neste livro. Basicamente, o orçamento permite exercitar as escolhas e simular situações e suas consequências antes que elas impactem negativamente o bolso. Um bom orçamento nos dá uma visão de futuro e permite estimar até onde queremos e podemos chegar com nossas escolhas, além de nos alertar sobre aonde não devemos ir.

Como o orçamento não é parte da rotina da empresa, e sim um exercício administrativo de organização da rotina futura (que embute uma razoável dose de imprecisão), muitos empreendedores entendem sua importância mas relutam em praticá-lo – afinal, o orçamento exige uma dedicação considerável de tempo, um artigo raro na rotina empresarial.

Um dos aspectos mais importantes do uso do orçamento é entender que ele não é um limitador de escolhas. O orçamento é como um guia, um mapa que indica o caminho que se mostrava mais adequado no momento em que foram avaliadas diversas possibilidades para chegar a um destino. Em vez de ser interpretado como um trilho que devemos percorrer, deve ser entendido como uma trilha a ser percorrida, mas ao longo da qual temos que estar atentos a obstáculos que devemos evitar e atalhos que podemos aproveitar.

Se não for acompanhado de uma gestão flexível e atenta a oportunidades de aperfeiçoamento nas escolhas, o orçamento pode trazer o efeito indesejado de engessar as escolhas, a criatividade e a busca de oportunidades.

## Competência nº 3: Fazer um controle da evolução dos resultados

Manter um histórico de números, indicadores e resultados tem uma importante utilidade: o histórico da empresa passa a ser uma primeira referência para se fazerem as análises comparativas estudadas nos indicadores financeiros e nas análises horizontal e vertical. Além disso, o controle de resultados permite validar os fatos acontecidos com os que foram planejados, resultando em uma comparação de números orçados *versus* realizados. Com o passar do tempo, esse controle permite que suas projeções se tornem cada vez mais eficientes, pois gradativamente serão influenciadas pelos questionamentos feitos sobre projeções ou premissas mal elaboradas.

Está aí o que considero o mais importante aprendizado do mundo dos negócios: aquele adquirido com a experiência de errar e aperfeiçoar. Na vida, jamais erramos: ou acertamos, ou aprendemos. O aprendizado acadêmico nos fornece atalhos, mas nenhum estudo é mais eficaz do que o aprendizado adquirido com a experiência. Dedicando-se regularmente a controlar e ajustar suas decisões financeiras, você se tornará mestre em identificar a hora de retirar o time de campo, evitando colocar seu capital em risco desnecessariamente. Em outras palavras, diante de diferentes possibilidades de investimento, reduzirá seu ímpeto de decidir intuitivamente e passará a ponderar também sobre a possibilidade de não investir – uma capacidade que somente a experiência ajuda a desenvolver.

Uma maneira prática de manter um controle da evolução de números e indicadores é utilizar sistemas de controle financeiro disponibilizados na web, em vez de contar apenas com os relatórios elaborados por seu contador. Os sistemas financeiros comercializados costumam ser de manuseio intuitivo e já automatizam os indicadores financeiros mais conhecidos, além de manter com segurança um registro do histórico financeiro da empresa.

## Competência nº 4: Valorizar os números nas decisões

Os números fornecem os elementos racionais da tomada de decisão. Através deles, algumas decisões serão antipáticas, outras dolorosas, mas todas conduzirão a empresa ao crescimento com rentabilidade. Entretanto, decisões de negócios não devem se pautar exclusivamente por aspectos racionais. Existem situações em que, por exemplo, assume-se vender com preço abaixo do custo (o que é conhecido como prática de *dumping*) com o objetivo de tornar seu produto ou marca conhecidos do cliente e iniciar uma relação comercial que não aconteceria se o critério de vender ou não fosse pautado exclusivamente nos números.

Por isso, a orientação não é "decida somente com base nos números", mas sim "valorize os números nas decisões". Tenha sempre um argumento racional para ponderar sobre um caminho a seguir. Se a escolha for por relevar a análise lógica, ao menos você terá, de antemão, uma estimativa do custo que estará assumindo por essa decisão.

### Competência nº 5: Contar com pessoas de confiança e capazes

Finalmente, a competência que, quando em falta, coloca em risco a sustentabilidade das estratégias da empresa e até a própria empresa. É até intuitivo considerar que deve ser de confiança toda pessoa que atua em uma empresa, seja sócio, colaborador ou um prestador de serviço. Quando se desconfia que trabalha para você alguém em quem não se pode confiar, não se deve pensar duas vezes antes de descartar esse profissional.

Entretanto, em empresas familiares e de pequeno porte, raramente pessoas de confiança são também profissionais tecnicamente capacitados. Para uma empresa em crescimento, contratar um profissional formado no mercado pode ser inviável, por isso é comum que áreas-chave da empresa, como a gestão financeira, sejam encabeçadas por alguém que seja de extrema confiança dos sócios, como um parente ou um amigo de longa data. Essa contratação que considera a confiança mais relevante do que a capacitação resulta em um problema financeiro muito frequente nas empresas: a organização e o controle financeiro não são sistematizados.

Em dezenas (talvez mais de uma centena) de empresas em que atuei como consultor nos primeiros anos de minha carreira, eu me deparei com a mesma situação: ao solicitar os números da empresa para iniciar minha atividade consultiva, a resposta que eu recebia era: "De quais números você precisa?" Ora, de TODOS os números, das demonstrações financeiras! "Diga exatamente o que você precisa saber que em até dez dias minha esposa/sogro/irmão/nora/pai irá providenciar para você." Assim começa a maioria das consultorias financeiras, já com uma resposta: a empresa não possui informações financeiras suficientes para poder agir sobre elas.

O motivo é a falta de capacitação da pessoa de confiança. Toda informação relevante está na cabeça, em um caderninho ou em uma planilha que *somente fulano sabe mexer e entender*.

Se essa pessoa de confiança não puder mais continuar participando do negócio, por qualquer motivo que seja, vão com ela as informações relevantes.

Capacitar um profissional de confiança é oferecer a ele um treinamento através do qual sejam absorvidas técnicas que favoreçam a continuidade dos negócios. Por exemplo, um programa de formação financeira gerencial de cerca de 20 horas é suficiente para proporcionar o entendimento e a utilidade das principais demonstrações financeiras. Ao colocar esse conhecimento em prática, fortalecemos a continuidade dos processos, pois, se o profissional não puder mais continuar participando das atividades da empresa, bastará contratar outra pessoa que tenha passado pelo mesmo processo de formação para que as ferramentas sejam entendidas e as rotinas sejam continuadas.

Por mais que tenhamos apenas pessoas de confiança trabalhando conosco, é recomendável ter um sistema financeiro tão organizado que nunca se precise confiar em alguém. Apenas por segurança e sustentabilidade.

# 12
# Separando a pessoa física da pessoa jurídica

Todo empresário/empreendedor já ouviu falar que um dos requisitos essenciais para a saúde financeira tanto da empresa quanto da pessoa física é separar terminantemente as contas. Essa é até uma exigência legal por parte da Receita Federal, para que entidades diferentes perante o fisco não se confundam.

Entretanto, não é preciso ter vasta experiência nos negócios para entender que:

- A separação completa das contas é trabalhosa e custosa.
- É humanamente impossível separar a pessoa física da jurídica quando se trata de empresa familiar ou de empresa de porte reduzido que não comporta uma gestão financeira mais complexa e profissional.

Entretanto, as normas devem ser cumpridas. Na prática, os controles financeiros pessoal e do negócio devem deixar bastante claros quais recursos pertencem a qual pessoa, e é essa organização da informação que esclarecerá quaisquer dúvidas perante o fisco ou qualquer outra entidade a quem possa interessar.

Não há cabimento em estruturar um sistema financeiro extremamente complexo, que demande tempo e aprendizado, apenas para cumprir normas e desviando o foco do empreendedor do que de fato importa: o crescimento de seu negócio, a satisfação do cliente e o fortalecimento de sua reputação. Em essência, os controles gerenciais devem ser simples e objetivos. Se possível, informações mais detalhadas devem ser obtidas com o contador ou através de um software de controle gerencial.

Considero suficiente dividir o planejamento global de uma pequena empresa em quatro grupos de raciocínio, que podem estar em quatro planilhas ou até quatro páginas de caderno. A ordem dos grupos listada é de suma importância. Esses grupos são:

1) Estratégias para o Negócio
2) Planejamento Financeiro do Negócio
3) Estratégia Pessoal/Familiar
4) Planejamento Financeiro Pessoal/Familiar

## 1) Estratégias para o Negócio

A primeira coisa a se fazer é organizar a estratégia do negócio, incluindo as ações necessárias ao fortalecimento e expansão das atividades. Aí, sim, pode-se passar à organização das finanças do negócio.

Como consequência dessa reflexão, serão relacionados investimentos que precisam ser feitos ao longo dos próximos meses para garantir que os planos aconteçam. Esses investimentos podem ser a reforma de um escritório, a compra de um fogão industrial ou de um veículo de entregas, ou mesmo a participação em congressos para fortalecer a atividade de um *coach* ou de um consultor de marketing multinível.

Definidos os investimentos, são relacionados os valores necessários para viabilizá-los e calculada uma estimativa de valores que devem ser poupados regularmente para viabilizar esses investimentos.

## 2) Planejamento Financeiro do Negócio

Uma vez definidos os planos ou a estratégia do negócio, temos condições de refletir sobre as finanças do negócio. A partir das receitas, deduzimos os gastos e chegamos ao *lucro, que não deve ser entendido, ainda, como a parcela que cabe aos sócios*. Se a estratégia prevê investimentos para que o negócio cresça, parte dos lucros será reservada para a poupança regular prevista na estratégia.

O que sobrar de recursos será a parcela de resultado disponível para retirada dos sócios. Para uma empresa em fase inicial de atividades, provavelmente sobrará pouco ou nada para os sócios, pois é necessário um esforço inicial maior para que a empresa se destaque e se distancie de potenciais concorrentes. Com esses dois grupos de análise concluímos o planejamento do negócio, dividido entre estratégia e finanças.

**FIGURA 93** Planejamento estratégico e financeiro do negócio

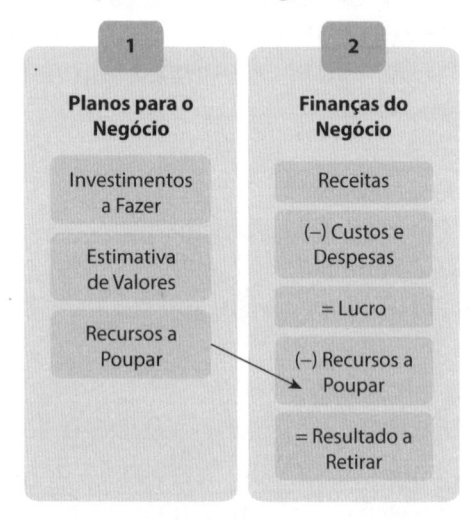

**1**
**Planos para o Negócio**
- Investimentos a Fazer
- Estimativa de Valores
- Recursos a Poupar

**2**
**Finanças do Negócio**
- Receitas
- (–) Custos e Despesas
- = Lucro
- (–) Recursos a Poupar
- = Resultado a Retirar

## 3) Estratégia Pessoal/Familiar

Partimos a seguir para o planejamento pessoal do empreendedor. Da mesma forma que fizemos para a empresa, os planos estratégicos vêm antes do planejamento financeiro. É preciso definir, de antemão, quais são os objetivos pessoais e familiares que se espera que sejam alcançados nos próximos anos, como aposentadoria, faculdade dos filhos, novos negócios, casa própria, etc. Deve-se estimar valores desses sonhos pessoais e calcular quanto deveria ser poupado regularmente para que tais sonhos sejam garantidos ao longo do tempo previsto. Uma vez concluído esse planejamento pessoal de longo prazo, estamos prontos para tratar das finanças pessoais/familiares do empreendedor.

## 4) Planejamento Financeiro Pessoal/Familiar

O planejamento financeiro familiar se inicia somando a retirada disponibilizada pela empresa a outras eventuais fontes de renda da família. Caso tenha dúvidas sobre os motivos para a soma de ganhos dos membros da família, recomendo a leitura de meu livro *Casais inteligentes enriquecem juntos* (Sextante). Dessa renda total familiar, *em primeiro lugar* devem ser reservados os recursos previstos para a concretização dos grandes sonhos da família, para garantir que os principais projetos familiares sejam concretizados. Com o restante dos recursos, a família irá decidir as diversas escolhas relacionadas a seu custo de vida: moradia, alimentação, transporte, educação, saúde e lazer.

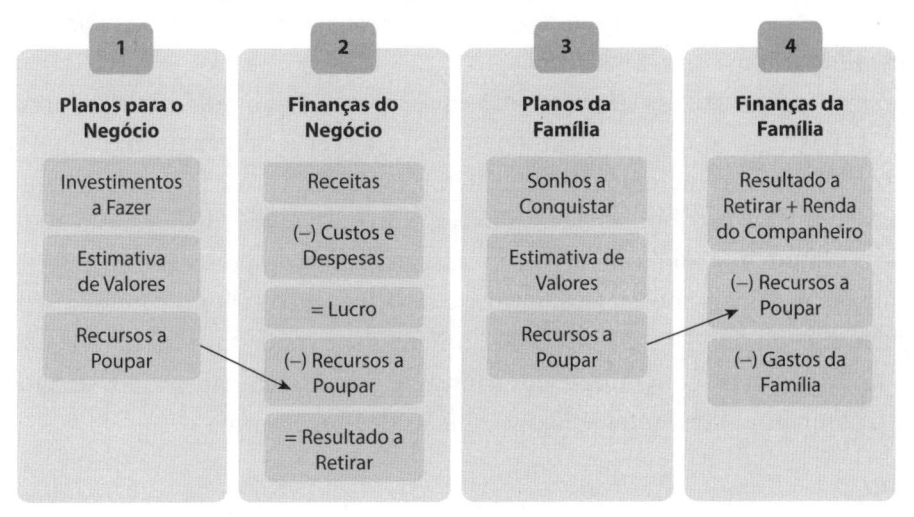

**FIGURA 94** Planejamento estratégico e financeiro familiar do empreendedor

| 1 | 2 | 3 | 4 |
|---|---|---|---|
| **Planos para o Negócio** | **Finanças do Negócio** | **Planos da Família** | **Finanças da Família** |
| Investimentos a Fazer | Receitas | Sonhos a Conquistar | Resultado a Retirar + Renda do Companheiro |
| Estimativa de Valores | (–) Custos e Despesas | Estimativa de Valores | (–) Recursos a Poupar |
| Recursos a Poupar | = Lucro | Recursos a Poupar | (–) Gastos da Família |
| | (–) Recursos a Poupar | | |
| | = Resultado a Retirar | | |

O segredo para que esse modelo de planejamento funcione está na *ordem das escolhas*. Repare que o último item do modelo é a definição do estilo e do custo de vida da família, o que certamente impõem uma verba para a família menor do que o empreendedor tradicionalmente está disposto a aproveitar. Muitos estarão se perguntando:

*Até que ponto vale a pena reduzir o padrão de vida para ter um novo negócio?*

A resposta é: não se trata, aqui, de reduzir o padrão de vida, mas sim de adequá-lo para que seja sempre crescente.

Tradicionalmente, empreendedores e empresários determinam um padrão de consumo que acreditam ser adequado para quem "se livrou da escravidão chamada emprego". Adquirem a melhor casa que podem pagar, o melhor carro que cabe em seu bolso e colocam os filhos em boas escolas. Se não ocorrerem imprevistos nesse bom padrão de vida, haverá uma verba para férias. Investimento nos negócios? "Não é o momento", costuma ser a resposta.

Infelizmente, essa visão tradicional explica boa parte da dificuldade de crescimento dos empresários brasileiros: a colheita é priorizada em detrimento do plantio. O modelo aqui apresentado se propõe a inverter esse jogo. Ele parte das necessidades de crescimento da empresa e traça uma estratégia para que essas necessidades sejam atendidas. Da mesma forma, considera que a concretização dos grandes planos da família é prioritária em relação às escolhas de consumo presente.

Com essa estratégia, asseguramos que os sócios não retirem da empresa mais recursos do que ela precisa para se fortalecer e crescer, promovendo o crescimento nos lucros. Com mais lucros, em um futuro não muito distante haverá maior distribuição de resultados, o que permitirá melhorar o padrão de consumo que foi limitado para o crescimento da empresa. Em questão de meses ou poucos anos, a família atinge o padrão de consumo esperado sem ter comprometido a capacidade de aumentar sua renda futura e garantindo a poupança para concretizar seus sonhos. É um modelo que propõe ganhos e recompensas crescentes, e não sacrifícios de longo prazo.

# Conclusão

Montar uma empresa em um ambiente hostil para negócios como o Brasil é uma atitude de coragem. Sem dúvida, a principal motivação empreendedora é a sobrevivência, garantir o leite das crianças sem as cobranças típicas do emprego ou a surpresa de uma demissão inesperada. Cobranças também existem na vida de quem empreende seu negócio próprio, e talvez sejam mais numerosas e desafiadoras. Mas é como pilotar um automóvel: aquele que está com as mãos no volante sempre se sente mais seguro e confiante do que o passageiro.

Por isso, mesmo com toda a complexidade por trás do sonho de tocar uma empresa, há a recompensa que poucos sabem explicar: o prazer de ter as mãos no volante. Essa é uma primeira forma de independência financeira, uma prazerosa sensação de liberdade pouco racional que parece ser incompatível com o inevitável estresse que permeia o crescimento de uma nova empresa. Alguém deixa de lado a segurança do emprego formal para assumir os riscos de trabalhar duro para si mesmo e se sente recompensado? Sim, porque, com as mãos no volante, sabe que o futuro depende de suas escolhas, que podem ser aperfeiçoadas ao longo do tempo.

Trata-se de uma atitude racionalmente egoísta que, com o passar do tempo, tende a ser substituída por uma percepção mais ampla. O sonho de prosperar tende a ser menos presente e passa a ser substituído pelo ímpeto de crescer, de vender mais, de atender a mais clientes, de contratar mais pessoas.

A mudança é gradual, pouco perceptível. Mas é fato que, à medida que empresa e empresário amadurecem, a circulação de recursos na empresa e entre a empresa e tudo que a cerca passa a ser tão importante quanto a circulação de sangue em nosso corpo. A empresa ganha vida e começa a se comportar como um organismo complexo. Inicialmente, era um capital que fora investido para render lucros. Mas, ao crescer, o objetivo do capital passa a ser o de gerar empregos, promover atividade econômica, aumentar sua relevância na sociedade.

A maior parte do resultado deixa de ser do sócio, que passa a viver do pró-labore e mantém a maior parte de sua riqueza circulando no negócio para que ele aumente de valor e fortaleça o impacto social.

Algumas empresas se mantêm por anos com pouca lucratividade ou até com prejuízo, sustentadas por negociações que flexibilizam dívidas, anistiam tributos, rolam contratos, tudo em nome de manter viva essa relação com a sociedade. E o fato de conviver com prejuízo não diminui o ímpeto construtivo de seus sócios.

Os números importam mais do que o impacto social? Não acredito. Mas fato é que, sem números, o impacto social não se sustenta. Negócios bem-sucedidos são aqueles que conseguem aliar seu impacto social ou sua missão com uma condição de lucratividade que permita reinvestimentos contínuos e, consequentemente, a contínua expansão da capacidade de impactar socialmente. O que for diferente dessa percepção provavelmente não sobreviverá para contar sua história.

Bons negócios!

Um abraço,

GUSTAVO CERBASI
*Primavera de 2016*

**ANEXO**

# Um mapa da saúde financeira da sua empresa

Meu objetivo, ao apresentar esta complexa lógica que se resume em um conjunto de indicadores financeiros, é transmitir um conjunto de conhecimentos que, quando praticados no cotidiano empresarial, são entendidos como a inteligência financeira da empresa.

Com o conjunto de ferramentas contábeis e de análise que estudamos até aqui, podemos criar um mapa de indicadores financeiros que, utilizados com frequência, servirão como um guia lógico para todas as decisões tomadas no negócio, e não apenas para as decisões financeiras.

Para concluir este estudo da inteligência financeira nos negócios, apresento um passo a passo de um relatório gerencial, incluindo exemplos de aplicação dos conceitos e a orientação de como interpretar os indicadores. Sucesso ao colocar em prática!

## 1) Elaboração de demonstrações financeiras gerenciais

O primeiro passo para analisar o desempenho financeiro de seu negócio é construir relatórios financeiros gerenciais que representem o mais fielmente possível a realidade da empresa. Caso você conte com um sistema de apuração de relatórios financeiros, pode se basear nos relatórios gerados por ele. Caso não tenha, pode partir das demonstrações financeiras elaboradas por seu contador, ou orientar-se com ele sobre como montar demonstrações fiéis à realidade. Como se trata de demonstrações gerenciais, ajustes podem ser feitos para comportar eventuais processos não documentados ou informais. Por exemplo, se empréstimos de curto prazo feitos dos sócios para a empresa não são detalhados nas demonstrações contábeis, é importante que constem das demonstrações gerenciais.

## BALANÇO PATRIMONIAL

| ATIVO | Mês 1 | | Mês 2 | | |
|---|---|---|---|---|---|
| | Valores | %Vert. | Valores | %Vert. | Var. em Pts |
| **Total do Ativo** | | | | | |
| | | | | | |
| | | | | | |
| | | | | | |
| | | | | | |
| | | | | | |
| | | | | | |
| **Total do Circulante** | | | | | |
| | | | | | |
| | | | | | |
| | | | | | |
| | | | | | |
| | | | | | |
| | | | | | |
| | | | | | |
| | | | | | |
| | | | | | |
| **Total do Não Circulante** | | | | | |

| PASSIVO + PL | Mês 1 | | Mês 2 | | |
|---|---|---|---|---|---|
| | Valores | %Vert. | Valores | %Vert. | Var. em Pts |
| | | | | | |
| | | | | | |
| | | | | | |
| | | | | | |
| | | | | | |
| | | | | | |
| | | | | | |
| Total do Circulante | | | | | |
| | | | | | |
| | | | | | |
| | | | | | |
| | | | | | |
| | | | | | |
| | | | | | |
| | | | | | |
| Total do Não Circulante | | | | | |
| | | | | | |
| | | | | | |
| | | | | | |
| | | | | | |
| | | | | | |
| Total do PL | | | | | |

## DEMONSTRAÇÃO DO RESULTADO DO PERÍODO

|  | Mês 1 |  | Mês 2 |  |
|---|---|---|---|---|
| **Receita Bruta de Vendas** | _____ | 100% | _____ | 100% |
| (–) Devoluções, Descontos, Abatimentos | _____ | (__)% | _____ | (__)% |
| (–) Impostos sobre o Faturamento | _____ | (__)% | _____ | (__)% |
| **(=) Receita Líquida** | _____ | ___% | _____ | ___% |
| (–) CMV ou CPV ou CSP | _____ | (__)% | _____ | (__)% |
| **(=) Lucro Bruto** | _____ | ___% | _____ | ___% |
| (–) Despesas de Vendas | _____ | (__)% | _____ | (__)% |
| (–) Despesas Administrativas | _____ | (__)% | _____ | (__)% |
| **(=) Lucro Operacional** | _____ | ___% | _____ | ___% |
| (+) Receita Financeira | _____ | ___% | _____ | ___% |
| (–) Despesas Financeiras | _____ | (__)% | _____ | (__)% |
| (+) Outras Receitas Não Operacionais | _____ | ___% | _____ | ___% |
| (–) Outras Despesas Não Operacionais | _____ | (__)% | _____ | (__)% |
| **(=) Lucro Antes dos Impostos** | _____ | ___% | _____ | ___% |
| (–) Impostos sobre o Lucro | _____ | (__)% | _____ | (__)% |
| **(=) Lucro Líquido** | _____ | ___% | _____ | ___% |

## 2) Interpretação dos relatórios

As seguintes perguntas podem ser feitas para ajudar a obter conclusões importantes desses relatórios gerenciais:

- No balanço patrimonial, houve alguma mudança significativa na composição dos ativos? E dos passivos? Se sim, procure entender detalhadamente as informações que mais mudaram de um período para outro.
- Na demonstração do resultado gerencial, houve alguma alteração significativa na composição dos custos? Se sim, alguma dessas alterações envolve custos ou despesas fixos? Em caso afirmativo, é recomendável fazer um estudo do Ponto de Equilíbrio da empresa.

## 3) Cálculo do mapa de indicadores

| Índice | Fórmula | Mês 1 | Mês 2 |
|---|---|---|---|
| RSA | $\dfrac{\text{Lucro Líquido}}{\text{Ativo Total}}$ | | |
| RSPL | $\dfrac{\text{Lucro Líquido}}{\text{Patrimônio Líquido}}$ | | |
| Retorno s/ Vendas | $\dfrac{\text{Lucro Líquido}}{\text{Vendas}}$ | | |
| Giro de Ativos | $\dfrac{\text{Vendas}}{\text{Ativo Total}}$ | | |
| PME | $\dfrac{\text{Estoque Médio}}{\text{CMV}} \times 365 \text{ dias}$ | | |
| PMR | $\dfrac{\text{Contas a Receber}}{\text{Vendas a Prazo}} \times 365 \text{ dias}$ | | |
| PMP | $\dfrac{\text{Duplicatas a Pagar}}{\text{Compras}} \times 365 \text{ dias}$ | | |
| Liquidez Corrente | $\dfrac{\text{Ativo Circulante}}{\text{Passivo Circulante}}$ | | |
| Endividamento | $\dfrac{\text{Passivo}}{\text{Passivo + PL}}$ | | |
| Cobertura de Juros | $\dfrac{\text{Lucro Operacional}}{\text{Despesas de Juros}}$ | | |

## 4) Interpretação dos indicadores

As seguintes perguntas podem ser feitas para ajudar a obter conclusões importantes dos indicadores calculados:

- Houve melhoria na rentabilidade sobre os investimentos feitos (Ativos)? Quais foram as mudanças de estratégia (verificar a análise vertical dos ativos) que mais impactaram essa tendência? O que pode ser feito para melhorar a tendência?
- Houve melhoria na rentabilidade sobre os investimentos próprios (Patrimônio Líquido)? Quais foram as mudanças de estratégia que mais impactaram essa tendência? O que pode ser feito para melhorar a tendência?

- Quais conclusões podem ser obtidas sobre a evolução do Retorno sobre Vendas?
- A eficiência no uso de recursos (Giro de Ativos) melhorou? O que pode ser feito para aumentar o giro?
- Com base nos indicadores de liquidez, de endividamento e de cobertura de juros, a capacidade de solvência (ou de liquidar compromissos) aumentou ou diminuiu? Se aumentou, considerar se é ou não um bom momento para negociar as condições de crédito junto ao banco.
- Com base nos prazos médios de Estoque, Recebimento e Pagamento, construa os ciclos operacional e de caixa da empresa para os dois períodos. Houve melhoria? Aumentou ou diminuiu a necessidade de capital de giro da empresa?

|—————————————————————————————————|(dias)
0

|—————————————————————————————————|(dias)
0

A adoção regular desses relatórios simples ajudará a acompanhar os números realmente relevantes para a saúde financeira da empresa. Em alguns segmentos, recomenda-se debater os conceitos com parceiros e com colegas da mesma área profissional, para que particularidades de seu segmento de atuação sejam adequadamente tratadas na organização dos dados.

Lembre-se de que quanto mais simples e eficaz for seu modelo de gestão, menos tempo será dedicado ao controle financeiro e mais tempo sobrará para o que realmente importa: vender, atender, aprimorar-se e prosperar.

# Agradecimentos

A minha família, Adriana, Guilherme, Gabrielle e Ana Carolina, pelo amor incondicional e pelo apoio em mais um desafio de mergulhar nas madrugadas para criar este texto.

A Jéssica Pascarelli, por sua dedicação em zelar por cada detalhe de cada trabalho e me ajudar a manter todos os pratos girando.

A meus editores Marcos Pereira, Tomás Pereira e Alessandra Gelman Ruiz, por acreditarem que poderíamos transformar a economia do país lapidando uma ciência complexa em um texto leve.

A todos os empreendedores que praticaram os ensinamentos de minhas palestras e comprovaram que conhecimento traz resultados consistentes.

# CONHEÇA OUTROS TÍTULOS DO AUTOR

### Dinheiro: os segredos de quem tem

Muita gente tem uma ideia totalmente errada de como as pessoas enriquecem. Poucas vezes é uma herança, um diploma de pós-graduação ou mesmo a inteligência que constrói uma fortuna. Com mais frequência, ela resulta de trabalho duro, economias disciplinadas e um padrão de vida adequado.

Em *Dinheiro: os segredos de quem tem,* o consultor Gustavo Cerbasi explica o que fazer para começar agora mesmo a equilibrar as contas e se aproximar da tão sonhada independência financeira. Ao simplificar temas como aposentadoria, investimentos e empreendedorismo, ele mostra que, com conhecimento e organização, qualquer pessoa pode conquistar um futuro sólido e tranquilo.

Logo no início do livro, você poderá fazer um teste para descobrir qual é o seu perfil financeiro. A partir daí, ficará mais fácil aplicar os novos conhecimentos às suas reais necessidades.

Cerbasi faz um alerta contra as armadilhas financeiras do dia a dia, sugerindo maneiras práticas de reduzir as despesas e gerenciar melhor os ganhos. Ele também destaca a importância de se ter uma postura voltada para a prosperidade.

O caminho para a riqueza depende muito mais das decisões que as pessoas tomam em seu cotidiano do que dos bens que possam vir a acumular. Reveja seu planejamento financeiro e faça o dinheiro trabalhar por você.

## Investimentos inteligentes

Investir quase sempre envolve abrir mão de alguma coisa e se arriscar. Mas esse processo pode ser feito com bem menos sofrimento e riscos do que se imagina. Em *Investimentos inteligentes*, Gustavo Cerbasi explica que não existe um único investimento perfeito, e sim maneiras mais indicadas de investir de acordo com as necessidades de cada pessoa.

Quais são os obstáculos enfrentados por um investidor iniciante? O que não se deve fazer ao investir? Quais são as qualidades encontradas em um bom investidor? Cerbasi responde a essas e outras perguntas, desmistificando algumas questões e apresentando em linguagem acessível as melhores formas de investimentos, seja em renda fixa, ações, fundos, previdência privada ou imóveis, entre outras.

Saber investir é fundamental para alcançar a tão sonhada independência financeira e um futuro mais tranquilo para você e seus dependentes. Se você ainda não sabe o que fazer com o seu dinheiro ou não está satisfeito com seus rendimentos atuais, chegou a hora de esclarecer as suas dúvidas e dar um bem-sucedido passo adiante.

## Adeus, aposentadoria

Esqueça tudo o que você já ouviu falar sobre aposentadoria. A ideia de parar de trabalhar e se sustentar com um auxílio mensal é um conceito ultrapassado para dar conta do padrão de vida que queremos ter.

Bancos, empresas de previdência, fundos de pensão e o Ministério da Previdência Social recomendam que as pessoas poupem mais ao longo dos anos para chegarem com uma boa reserva à idade avançada. Mas será que apenas essa poupança resolve o problema?

Quem já passou dos 60 anos lamenta não ter se esforçado mais no passado e sabe que, mesmo que tivesse dobrado seu esforço, ainda estaria longe de uma situação confortável. Como estamos vivendo mais, com mais qualidade, custo de vida mais alto e maior nível educacional e cultural, a renda de uma aposentadoria – pública ou privada – não é suficiente hoje. A velha fórmula deixou de funcionar.

É preciso adotar um modelo realista para planejar o futuro. Reunindo pesquisas e reflexões sobre casos de fracasso e de sucesso, este livro propõe uma nova forma de enxergar o trabalho e de lidar com o dinheiro, oferecendo conselhos atualizados sobre a melhor maneira de se educar, de investir, de empreender e de gerenciar a carreira.

Ao longo de mais de uma década, Gustavo Cerbasi vem se dedicando a estudar e trabalhar com educação financeira, orientando públicos de diversas idades e classes sociais. Em *Adeus, aposentadoria*, ele apresenta um plano para administrar sua riqueza que inclui dicas personalizadas de acordo com sua faixa etária. Além disso, faz uma análise das modalidades existentes de aposentadoria e aponta suas principais falhas.

Sem dúvida, o desafio para conquistar uma vida futura mantendo o padrão atual e sem depender de ninguém é grande, mas é possível se começarmos a realizar esse projeto desde já.

## Casais inteligentes enriquecem juntos

Com mais de 1 milhão de livros vendidos, este best-seller inspirou o filme *Até que a sorte nos separe* e transformou a vida de inúmeras pessoas. Agora vai ensinar você a administrar o dinheiro para dar uma incrementada no seu relacionamento.

Uma das maiores causas de brigas entre os casais são as dificuldades financeiras. Se falta dinheiro para pagar as contas, a culpa recai sobre o parceiro esbanjador, que não quer nem saber se tem saldo no banco na hora de fazer uma compra. Se sobra dinheiro no fim do mês, em vez de comemorar, o casal pode se desentender sobre como investir ou gastar aquela quantia.

De acordo com o consultor Gustavo Cerbasi, a raiz do problema está na falta de conversa sobre dinheiro. Em geral, só se fala sobre o assunto quando a bomba já estourou. E por não discutir a questão a dois, a maioria acaba deixando de fazer um orçamento realista, de guardar dinheiro para atingir suas metas e de se planejar para manter um bom padrão de vida no futuro.

Com sugestões válidas para qualquer fase do relacionamento, desde o namoro até as bodas de ouro, *Casais inteligentes enriquecem juntos* aponta diferentes estratégias para formar uma parceria inteligente na administração das finanças da família. Ele traz também testes que avaliam a capacidade do casal de construir riqueza.

A edição comemorativa de 10 anos inclui o "Guia para casais que estão se preparando para o casamento", com orientações sobre as primeiras conversas a respeito de finanças, gastos com a cerimônia, compra da casa própria e o que deve ser priorizado nesse momento especial.

## Como organizar sua vida financeira

Gerenciar o próprio dinheiro não é uma tarefa fácil para quem desconhece o poder do planejamento e da organização. *Como organizar sua vida financeira* apresenta dicas certeiras para você que deseja tomar decisões mais conscientes sobre o seu dinheiro.

Gustavo Cerbasi reuniu neste livro todos os temas-chave que você precisa conhecer para alcançar o equilíbrio das finanças e planejar um futuro mais próspero.

Ele começa realizando um diagnóstico da sua situação atual, levando em conta dados como idade, dívidas, despesas, bens, investimentos e planos para a aposentadoria. Depois de chegar ao valor do patrimônio ideal para obter a tão sonhada independência financeira, é hora de aprender a analisar seu orçamento doméstico e identificar os pontos que podem ser aperfeiçoados.

Após traçar seu perfil de consumo e investimento, você poderá passar para os tópicos mais específicos, dominando de uma vez por todas os assuntos que sempre considerou complexos, tais como: Qual é a melhor maneira de administrar as dívidas, Como fazer a Declaração do Imposto de Renda, Como utilizar o crédito a seu favor, Quando vale a pena fazer seguros e Quais são os melhores investimentos.

## CONHEÇA ALGUNS DESTAQUES DE NOSSO CATÁLOGO

- Augusto Cury: Você é insubstituível (2,8 milhões de livros vendidos), Nunca desista de seus sonhos (2,7 milhões de livros vendidos) e O médico da emoção
- Dale Carnegie: Como fazer amigos e influenciar pessoas (16 milhões de livros vendidos) e Como evitar preocupações e começar a viver
- Brené Brown: A coragem de ser imperfeito – Como aceitar a própria vulnerabilidade e vencer a vergonha (600 mil livros vendidos)
- T. Harv Eker: Os segredos da mente milionária (2 milhões de livros vendidos)
- Gustavo Cerbasi: Casais inteligentes enriquecem juntos (1,2 milhão de livros vendidos) e Como organizar sua vida financeira
- Greg McKeown: Essencialismo – A disciplinada busca por menos (400 mil livros vendidos) e Sem esforço – Torne mais fácil o que é mais importante
- Haemin Sunim: As coisas que você só vê quando desacelera (450 mil livros vendidos) e Amor pelas coisas imperfeitas
- Ana Claudia Quintana Arantes: A morte é um dia que vale a pena viver (400 mil livros vendidos) e Pra vida toda valer a pena viver
- Ichiro Kishimi e Fumitake Koga: A coragem de não agradar – Como se libertar da opinião dos outros (200 mil livros vendidos)
- Simon Sinek: Comece pelo porquê (200 mil livros vendidos) e O jogo infinito
- Robert B. Cialdini: As armas da persuasão (350 mil livros vendidos)
- Eckhart Tolle: O poder do agora (1,2 milhão de livros vendidos)
- Edith Eva Eger: A bailarina de Auschwitz (600 mil livros vendidos)
- Cristina Núñez Pereira e Rafael R. Valcárcel: Emocionário – Um guia lúdico para lidar com as emoções (800 mil livros vendidos)
- Nizan Guanaes e Arthur Guerra: Você aguenta ser feliz? – Como cuidar da saúde mental e física para ter qualidade de vida
- Suhas Kshirsagar: Mude seus horários, mude sua vida – Como usar o relógio biológico para perder peso, reduzir o estresse e ter mais saúde e energia

CONHEÇA OS LIVROS DE GUSTAVO CERBASI

Mais tempo, mais dinheiro
Casais inteligentes enriquecem juntos
Adeus, aposentadoria
Pais inteligentes enriquecem seus filhos
Dinheiro: Os segredos de quem tem
Como organizar sua vida financeira
Investimentos inteligentes
Empreendedores inteligentes enriquecem mais
Os segredos dos casais inteligentes
A riqueza da vida simples
Dez bons conselhos de meu pai
Cartas a um jovem investidor

Para saber mais sobre os títulos e autores da Editora Sextante,
visite o nosso site e siga as nossas redes sociais.
Além de informações sobre os próximos lançamentos,
você terá acesso a conteúdos exclusivos
e poderá participar de promoções e sorteios.

sextante.com.br